汉方瘦身秘笈

目录 CONTENT

汉方瘦身秘笈

漢方瘦身秘笈

序言 用老祖宗的智慧打造不败的东方美！

汉方，源自于古老中国的悠久历史，集五千年的天地之精华，从“神农尝百草”到“扁鹊见蔡桓公”，千百年来，历代的医师历经无数次的实践，采撷大自然的草本植物和民间的流传偏方，不断地去芜存菁，最后将最有效、最安全、最可靠的中药及医术提炼总结出来，这些神奇汉方是中国老祖宗的智慧结晶，包含了最纯正的营养及治疗元素。而利用中药和医术来消除脂肪、美化体形的汉方瘦身法，也成为汉方中一朵闪亮的奇葩。

相传在古代，朝廷中的御医和御膳师为了使那些体态臃肿的皇家贵族们满意自己的体态，于是定期开出调理的药方或在御膳中加入中药来改善他们的体形。“水色箫前流玉霜，赵家飞燕侍昭阳。掌中舞罢箫声绝，三十六宫秋夜长。”被汉成帝形容为“身轻若燕，能作掌上舞”而集宠爱于一身的被称之为我国古代最杰出的舞蹈家赵飞燕，就以她窈窕的身材、轻盈的体态成为千百年来世代美女效仿的对象。相传她之所以能长期保持如此窈窕的身材，与她的“善行气术”是有很大关系的。史料记载赵飞燕经常穿着单薄的衣服，在风雪严寒的夜晚，站在露天，闭上眼睛“顺气”，也就是现在广为称诵和推广的气功减肥。元代忽思慧的《饮膳正要》中也曾记述了许多能利水、消肿、减肥、润五脏的药方。这许许多多汉方瘦身的奇方至今仍闪耀着瑰丽的光彩。

汉方瘦身的秘方留存下来，也给现代爱美人士带来了福音。在瘦身当主流的今天，随着人们体内环保观念的盛行，早已被证明安全性、有效性、科学性的天然、健康、无副作用的汉方瘦身法，再次被发扬光大，俨然成为全世界的一股新潮流。从骨感美人王菲到都市的时尚女孩，在其减肥计划单中总少不了一剂五味俱全、古色古香的汉方。

“民以食为天”，本书精选出近三十道具有食疗效用的药膳美人餐，从中国特有的药膳料理出发，利用中药特有的寒、凉、温、补等属性，将常见药材搭配入菜，烹调出一道道色、香、味俱全的佳肴，为你消脂的同时还能适时让你“补”一下，不但能补充体力，还能调理体质，养颜美肤，让你不会因减肥而赔上健康！精致的女人，泡澡的细节也不容错过，加入了芳香中草药的药浴能畅通全身的气血，并大量排除体内废水，打通脂肪堆积部位的积气，令全身各部位轻松享“瘦”，并让你拥有吹弹可破的肌肤。此外基于阴阳五行和脏腑经络作用的拔罐法能排湿气、去水肿；针灸能加速能量的新陈代谢，增加身体能量的消耗，分解体内脂肪，使体重持续下降；刮痧舒筋通络、活血化瘀；还有古老的顺气拍打法，巧用我们双手的力量在脂肪堆积部位施以安抚、放松、舒解、释放、调理，加快坏气阻滞部位的畅通，使脂肪堆积部位长期滞积的浊气循环，气血畅通，加快脂肪消溶……这些传统又时尚的神奇汉方医方和医术本书都一一详细介绍，从使用材料到操作方法以及实例图解，无不详尽至微，是都市男女最实用、最全面的汉方瘦身实战手册。

一切好的东西只想与大家分享，希望一切爱美的人从这本汉方瘦身的百科书中，找到瘦身道途中最快的捷径，用老祖宗的智慧打造不败的东方美！

第一章

传统汉方的迷人魅力

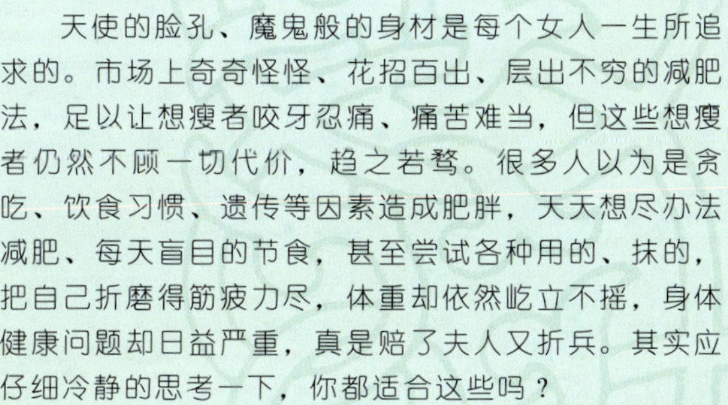

天使的脸孔、魔鬼般的身材是每个女人一生所追求的。市场上奇奇怪怪、花招百出、层出不穷的减肥法，足以让想瘦者咬牙忍痛、痛苦难当，但这些想瘦者仍然不顾一切代价，趋之若鹜。很多人以为是贪吃、饮食习惯、遗传等因素造成肥胖，天天想尽办法减肥、每天盲目的节食，甚至尝试各种用的、抹的，把自己折磨得筋疲力尽，体重却依然屹立不摇，身体健康问题却日益严重，真是赔了夫人又折兵。其实应仔细冷静的思考一下，你都适合这些吗？

“美丽”与“健康”应是相依相随的，如果你厌倦了那些有着神话般承诺的指导书，又不想先饿个半死又累个半死，试试这些简单的中医汉方，神奇的中草药加上色香味俱全的美食也“吃”着让你“瘦”，并且能够瘦出健康与美丽；新潮又古老的中医术足够让你体会出别具一格的卓著减肥效果;风行数千年的药草浴也能让你洗出窈窕的美人……这里的减肥汉方应有尽有，热爱美丽的美媚们，请走进这神奇迷人的汉方世界，将汉方奇妙融入你的减肥计划，还你一个纯净、窈窕、又充满活力的身体！

博大精深的汉方瘦身法，针对不同的肥胖体症施诊，治疗加预防，主导世界纤体运动新潮流！神奇的中药，四性、五味、归经大妙用，标本兼治，内外调理，引领瘦身方法自然风！

The over-all point of Chinese herbalism
一、中医学整体观念

中医学以阴阳五行学说来阐明人体组织之间的协调完整性，以及集体与外界环境的统一关系，从而形成独具特色的中医学的整体观念。中国传统医学里，以天人相应为指导思想，以五行为中心，以空间结构的五方、时间结构的五季、人体结构的五脏为基本结构，将自然界的各种实物和现象，以及人体的生理病理现象，按其属性进行归纳。在中医学中，人体的组织结构分属于五脏（心、肝、脾、肺、肾）为中心，以六腑（实际上五腑：胆、小肠、胃、大肠、膀胱）为配合，支配五体（筋、脉、肉、皮毛、骨），开窍于五官（目、舌、口、鼻、耳）外荣于体表组织（爪、面、唇、毛、发）等，形成了以五脏为中心的脏腑组织结构系统，从而为藏象学说奠定了基础。中医学整体观念是古代唯物论和辩证论思想在中医学的体现，亦是中医学的基本特点之一，它贯穿于中医生理、病理、诊法、辩证、治疗等整个临床体系之中，具有重要的指导意义。

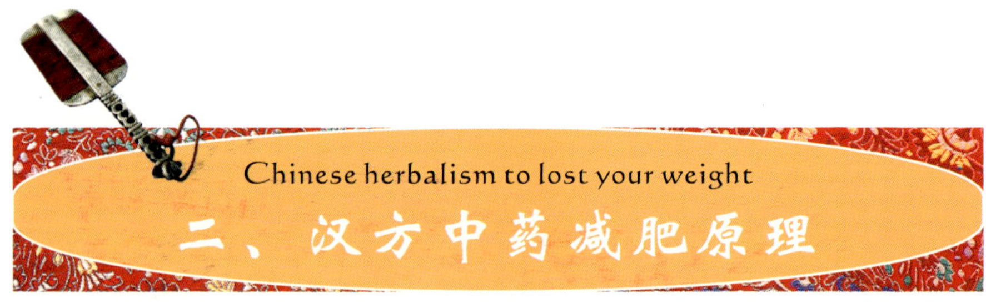

Chinese herbalism to lost your weight
二、汉方中药减肥原理

主要是根据辩病与辩证相结合的原则，治疗以标本兼治、去湿化痰、清利湿热、疏肝解郁、扶正固本、益气养血等方法来调理体内物质代谢平衡，是以整体的调整来达到减肥目的。它没有西药减肥带来的副作用，如乏力、食欲不振、腹泻等不良反应。

How does Chinese traditional medicine to your body?

三、中药降脂减肥有哪些成效?

随着人们生活水平的提高,肥胖的人日益增多了。血脂高、胆固醇高、脂肪肝、肥胖型高血压、心血管病、脑血管病等为临床所常见,发病率有上升趋势。运用中医中药辨证施治,降脂减肥能获得良好的效果。

和胃消脂法

形体肥胖,大多由于甘肥太过,油脂黏腻先壅于胃,往往脘腹饱胀、嗳腐吞酸、口味秽浊、舌苔腻。运用山楂、大麦芽、莱菔子等药以和胃助消化,甚为应手。本草类书对这些药早已有消除脂垢的记载。传统有焦三仙、保和丸等方,尤以中医儿科作为常用药物。市售之山楂果、山楂糕、山楂片香甜可口,可随身携带,服用方便。鲜莱菔生吃、炒吃均甚清口,可算是降脂减肥最简便的食物疗法。

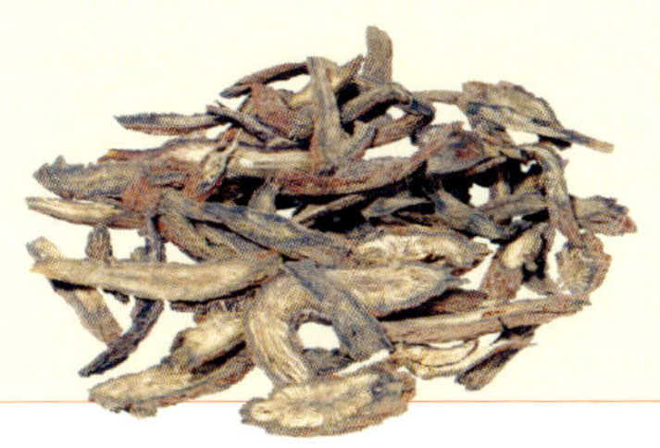

活血行瘀法

肥胖之人,血液中脂肪过多,容易引起动脉硬化,特别是心、脑血管病变多由此产生,活血去瘀的药物对扩张冠状动脉、增加血流量、降低血脂,以及防止斑块形成和促进其消褪均有作用。肥胖常见有瘀血阻滞、妇女经闭不行,或见舌质有青紫瘀点者,采用活血行瘀法,不但降脂减肥同时又能治病,真是两全其美。

常用的活血行瘀降脂药物如当归、川芎即古方佛手散,善于活血调经止痛,为首选之品。丹参一味,功同四物(汤),为治心脑血管病的常用药。赤芍药、鸡血藤能活血舒筋,对瘀阴经络者多适用之。三七、蒲黄善于活血止痛,对瘀阻刺痛者每多选用。市售之丹参片、复方丹参片、冠心1号方、冠心2号方等都有活血行瘀降脂的功效。

宽胸化痰法

中医文献有“肥人多痰”的论点，这种痰显然是指肥胖之痰浊，也就是脂肪过多。临床所见肥胖之人，动则气短、胸闷甚则头晕、呕吐、恶心、舌苔滑腻。有的人痰火重，性情急躁，易于发脾气、恼怒，以致血压高，头胀脑鸣而痛，睡眠不安，舌苔黄腻，便干结。多发心、脑血管病变。遇上这些病症，选用宽胸化痰法最为合适。常用药物如瓜蒌，古称栝楼，为宽胸化痰之主药，市售之瓜蒌片即用此一味制成，可降血脂，尤善治冠心病。瓜蒌仁还有润肠作用，对痰火内结，大便不畅者尤适用之。薤白即小蒜，临床常与瓜蒌配合同用，即汉代名医张仲景用治胸痹心痛的栝楼薤白汤，千百年来沿用不替。枳实，枳壳俱能宽胸化痰，配陈皮，半夏即为温胆汤法，常用治肥胖痰湿重，惊悸等症每多用之。陈皮即橘皮，气味芳香，即可和中理气，又能化痰降脂。市售之陈皮梅、橙皮条等，确甚可口，亦为食疗降脂之佳品。

疏肝利胆法

胆汁能消化脂肪。患肝炎、胆囊炎、肝胆结石的人，胆汁分泌不足，往往不喜欢吃油腻肉食，如果不小心，误食会引发疾病。疏肝利胆法对肝胆病是不可少的，尤其是脂肪肝患者，常用此法效果良好。疏肝利胆的常用药物如茵陈，是中医治疗黄疸的专用药，有很好的利胆作用。莪术、姜黄、郁金三味药为同科药物，均能疏肝、利胆、降脂，常与茵陈配合同用。市售之白金丸由郁金，明矾二味制成，为疏肝利胆、降脂化痰浊的中成药，并有化结石之功。柴胡疏肝散（柴胡、枳壳、芍药、甘草、香附、陈皮）可作为常成方，随症加减。决明子能清肝明目，平时泡茶常饮之，有泻肝火降血脂功效。

利尿渗湿法

中医学认为：温盛生痰，水湿代谢失常易与血液相混，清浊不分，血脂升高。采用利尿渗湿法降脂减肥是一种最平衡的方法。有一病人患肥胖型高血压，嘱其天天吃冬瓜粥，一日三餐不要间断。本草文献云：冬瓜有利水作用，并有“瘦人忌”的记载，该患者吃冬瓜粥以后，每天小便增多，每日5-6次.一个月以后,体重减轻5千克,血压也平衡，感到很高兴。冬瓜子与冬瓜皮俱可煎汤常服，正好废物利用。泽泻为利尿渗湿的常用药，近人研究也有降脂作用。茶树根，玉米须都有利尿之功，俱可作降脂药用。

泻下通便法

肥胖之人，体质大多强壮结实，如有大便秘结者，须用泻下通便法以排泄脂垢邪浊。常用药物为大黄，是一味泻下通便的主要用药，降脂减肥之功甚速。虎杖一药既可泻下，又能行瘀，仅次于大黄。何首乌能养血润肠，肥胖而兼血虚肠燥大便秘结者，可常服之。市售之首乌片即此一药制成，不但能降血脂，还能乌须黑发，亦有抗老防衰之功。市上所售的各种减肥茶，配方中就以泻下通便药为主组成。肥胖人服用之后，会引起剧烈猛泻，体重随即减轻。古方指迷茯苓丸（枳实、半夏、茯苓、芒硝）能缓下痰浊，治肥人指麻症，近人用于肥胖人高血压患者手指发麻，确实有良好的效果。

和胃消脂法是从起因着手的；活血去瘀法是直捣其巢穴的；宽胸化痰法与疏肝利胆法是改善脏腑功能的；利尿与泻下二法是给以出路加强排泄的。所列六法大都以祛邪浊为主，如果遇上肥胖而兼虚症者，可以配合补气血、调阴阳。益脾肾等药物扶助正气，更有利祛邪。与其服用药物降脂减肥，不如平时少吃肥腻肉类食物。尤其是晚上一餐不宜吃得过饱、因晚上睡眠休息，少活动，易于引起肥胖。佛家平时以素食为主，并有“过午不食”之戒律，故高僧大多清瘦轻健，是有道理的。

Be suit the remedy to the case to obtain double efficacies

四、对症下药，成果加倍

中药复方会依个人体质差异，加减药材斟酌份量。举例来说，饭后吃山楂可助消化，所以常见的减肥中药都会用到山楂，但剂量各有差异。例如：山楂和菊花、决明子、绿茶等多种凉性的药材组合，适合实证肥胖体质的人每天冲泡饮用；但若是山楂合并黄芪、薏（苡）仁、泽泻等温润药材，则适合虚胖体质的人饮用。

绿茶、菊花茶、决明子茶、薏米饭都和减肥沾上一点边，但一则剂量不对，一则缺乏其他中药参与发挥妙用，只能算是日常保健饮料食品。

To cure and defend diseases

五、治疗预防，药分两路

减肥时和结束计划后所服用的为两种不同的减肥药方。以药性温和且没有特别副作用的减肥茶继续调理体质，并保养美容，较能维持减肥战果，预防再度肥胖。

The herbage medicine

六、中药——四性五味和归经

在选购中药材时，常会听到“喔！你是冷底的体质，所以要用比较温热的药材。”这就牵涉到药材的四性了。而你知道药材的滋味也和它的性能有关吗？这就是所谓的“五味”。了解药材的性味，针对你的体质来选择药材养生，才能发挥药材的最大功效！

四性

即寒、凉、温、热四种药性，寒热偏性不明显的即为平性。寒凉药材多具有清热泻火作用，适用于热性病症；温热药材多具有温里散寒的特性，适用于寒性病症。

五味

即通称的辛、酸、甘、苦、咸五种药材滋味，另还有淡味。五味作用特点在于“辛散、酸收、甘缓、苦坚、咸软。”

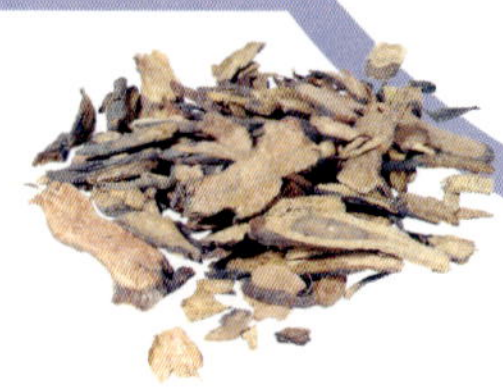

归经

常听人家说多吃枸杞可以补肝，而你知道为什么吗？这就是药材的归经！枸杞归肝经，所以服用有益于肝脏健康！了解药材归于哪一经，可以助你更正确地用药！

“归经”是指药材在人体脏腑经络产生作用的部位，“归”是作用的归属。“经”是脏腑经络的概称。前人在使用药材的时候发现，某一种药材往往对于某一个或某几个脏腑经络有特殊的功效，而对其他经络几乎没有效用，这就是归经理论。如朱砂能入心经，却不入脾经。

而运用归经，还必须考虑到脏腑经络间的关系。因为脏腑经络是互相关联的，在病理上也是相互影响的，所以在使用药材时，往往不会只使用归于某一经的药材，譬如患肺病而见脾虚的人，通常也会加用补脾的药物，使肺有所养益而逐渐痊愈。

归经大妙用

在使用药材的时候，不要以为只要知道药物的性味就够了，还必须将归经一起考虑进去！例如知母、夏枯草、黄连都是寒凉的药材，可以治疗热性的病症，但是，你知道吗？虽然都是清热的药材，可是知母长于清肺热燥火，夏枯草善于降肝火，而黄连较长于消除心火，在应用上可是不同的喔！所以了解归经，才能真正地对“症”下药！

四性	属性	作用	代表中药材
温	阳	祛寒补虚	红枣、黄芪、当归、川芎、龙眼肉
热		祛寒，消除寒症。	肉桂
寒	阴	清热解暑，消除热症。	金银花、黄连、大黄、生地黄
凉		降火气，减轻热症。	薏仁、菊花、西洋参、罗汉果
平		健胃	枸杞、芝麻、芡实、甘草、白木耳

五味	作用	对应器官	代表中药材	注意事项
辛	能活血行气，发散风寒。	肺	薄荷、木香、川芎、大小茴香、紫苏、白芷、花椒、肉桂	多辛散燥烈，食用过多容易耗气伤津液，导致便秘、火气大、痔疮。
酸	能生津开胃，收敛止汗，帮助消化，改善拉肚子症状。	肝	乌梅、五倍子、五味子、山楂、山茱萸	多食容易损伤筋骨；感冒者勿食用。
甘	补虚止痛，缓和药性，调和脾胃系统。	脾	人参、甘草、红枣、黄芪、淮山、薏仁、熟地黄	食用过多容易发胖、伤齿；上腹胀闷、糖尿病患者少食用。
苦	具有清热泻火、降火气、解毒、除烦躁等作用。	心	黄连、白果、杏仁、大黄、枇杷叶、黄芩、厚朴、白芍	口干舌燥、目红耳鸣、便秘、干咳体热者不宜多服用；还有吃多容易导致消化不良，胃病者应节制。
盐	泻下通便、软坚散结、消肿，多用于大便干结，消除肿瘤、结核。	肾	芒硝、牡蛎、草决明、玉米须、茴香	多食容易造成血压升高、血液凝滞，心脏血管疾病、中风患者忌食过量。
淡	利水渗湿，用于治疗水肿、小便不利等症状。		薏仁、通草、猪苓	无湿症者慎用。

时尚国度

汉方魔力

——宠爱女人的瘦身药膳饮

2

To 认识减肥中药

Know Chinese medicines of losing weight

中药是中国人对世界医学的巨大贡献，它通过神农的尝百草，以及许许多多医师先祖们不断的“品尝”与实践，从大自然界中发掘和总结出来。具有神奇功效的中草药，已被人们广泛地用于日常生活中，下面列举出较常见的一些减肥药材，分析其特效与禁忌，以便大家更好地根据自身体质准确地选择药方。

大黄

特点：蓼科植物大黄的根，含有大黄酚、大黄素、大黄酸等蒽醌物质。

功效：攻击导滞、泻火凉血、活血化瘀、利胆退黄等作用。能使肠蠕动增加，促进甘油三酯、脂肪胆固醇的排泄，减少脂肪胆固醇的吸收而具减肥降脂作用，还能促进胆汁分泌，并使胆汁中胆红素和胆汁酸的含量增加，有助于脂肪的消化吸收，同时增强细胞免疫功能和抗衰老作用。

禁忌：脾胃虚弱、虚寒者不宜服用。

女贞子

功效：滋补肾肝、强腰膝、降脂减肥，能降低甘油三脂和降胆固醇的作用。

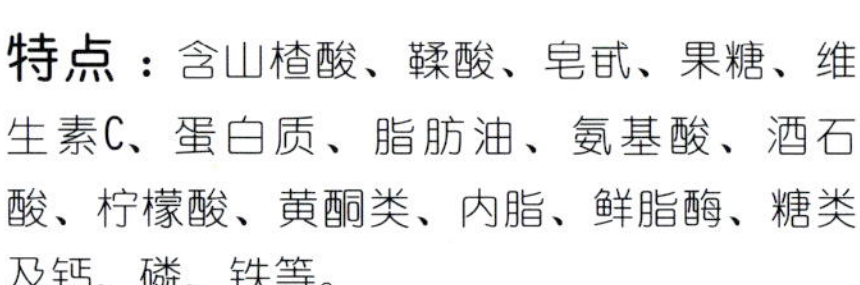

山楂

特点：含山楂酸、鞣酸、皂甙、果糖、维生素C、蛋白质、脂肪油、氨基酸、酒石酸、柠檬酸、黄酮类、内脂、鲜脂酶、糖类及钙、磷、铁等。

功效：具有扩张血管、减轻心脏负荷、增加冠状动脉血流量，改善心肌供血、供氧、缓解心绞痛，对胸闷、心悸有一定疗效。通过被脾消食积从而使血脂降低，具有轻身减肥作用。

丹参

特点：含丹参酮、异丹参酮、异隐丹参酮、维生素E

功效：活血化瘀、降脂减肥、安神宁心。

红花

特点：亚麻酸、油酸等不饱和脂肪酸

功效：明显降低血清总胆固醇和甘油三酯。

鸡血藤

特点：豆科植物密花豆，白花油麻藤、香花岩石藤或叶岩豆藤。

功效：活血舒筋、防止动脉粥样硬化、减肥作用。

金银花

功效：抗菌消炎，清热解毒，降血脂促进减肥。

用法：开水冲泡。

草决明（决明子）

特点：含大黄酚、大黄素、大黄酸、芦荟大黄素、大黄素葡萄糖甙、大黄素蒽醌、大黄素甲醚、决明素。

功效：降压、降血脂、抗菌、减肥。

荷叶

特点：含莲碱、鞣质等。

功效：除烦止渴，减肥降脂。

灵芝

特点：多孔菌植物紫兰或赤兰的全株。

功效：抑制脂质的结合和转化，具有降血脂，防止动脉粥样硬化，减肥作用。

灵　芝　药　膳　汤

益母草

特点：含益母草碱、水苏碱、益母草定、益母草宁等多种生物碱。

功效：活血去瘀、消脂减肥。

海藻

特点：含多种植物甾醇。

功效：减少胆固醇与脂肪的吸收，达到降脂减肥的目的。

番泻叶

功效：泻下、降脂、减肥。

三棱

功效：破血、行气、降脂、减肥作用。

禁忌：忌气虚体弱、血枯闭经及孕妇、经期服用。

广地龙

功效：清热、通络、平喘利尿。对胆固醇、甘油三酯均有降低作用。

川芎

功效：行气开郁、活血止痛、祛风燥湿、除脂减肥。

山豆根

功效：轻泻、祛痰、消肿和治盗汗作用，适用于伴有便秘咳嗽、盗汗等症的肥胖者。

山茱萸

功效：补肾肝、涩精气、固虚脱、降血脂、减脂肪的作用。

五灵脂

特点：（鼯鼠）鼠粪便。

功效：行血止痛、降脂减肥。

枸杞

特点：脂肪主要成分为亚油酸。

功效：滋肾、润肺、补肝、明目，抗衰老防治高血压动脉硬化、降脂减肥。

用法：宜制成减肥药膳。

牛膝

功效：散淤血、消痛肿、降脂减肥。

禁忌：脾虚泻泄、梦遗失精、月经过多及孕妇忌服。

半夏

特点：含天门冬氨酸、谷氨酸、精氨酸、β－氨基丁酸等氨基酸。

功效：镇咳、祛痰、止吐、解毒、降脂、减肥。

当归

特点：含多种氨基酸、矿物质、维生素。

功效：补血、活血化瘀、降脂减肥。

用法：可泡药酒、烹调药膳、大便溏泄者慎服。

苍术

特点：含挥发油成分及苍术醇、茅术醇、β－桉叶醇等成分。

功效：降血糖、降血脂及减肥作用。

赤勺

功效：解痉、扩张血管、增加血流量、降脂减肥。

禁忌：肝血不足、孕妇慎用。

菊花

特点：有黄菊、白菊、杭菊。

功效：疏风、清热、明目、解毒、降脂、减肥。

用法：可泡茶饮。

菊花枸杞茶

旱莲草

特点：含挥发油、鞣质、皂甙、旱莲草素及维生素A

功效：凉血、止血、滋养肝肾、降脂减肥。

首乌

特点：含蒽醌类物质、大黄酚、大黄素、大黄酸。

功效：具补肝益肾、养血祛风、通便解毒、降血脂减肥作用。

To Know Chinese medicines of losing weight

具有神奇般功效的中草药，已被人们广泛地用于日常生活中。

茅根

特点：含多量蔗糖、葡萄糖、少量果糖、木糖及柠檬酸、苹果酸、草酸等。

功效：祛湿利水、轻身降脂。

茺蔚子

特点：益母草的果实，含油酸、亚油酸等不饱和脂肪酸。

功效：活血化瘀、行气活血、有降甘油酯与胆固醇和减肥作用。

泽泻

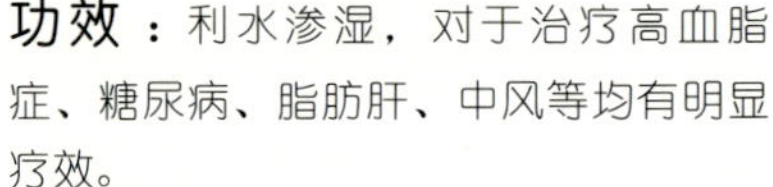

功效：利水渗湿，对于治疗高血脂症、糖尿病、脂肪肝、中风等均有明显疗效。

茵陈

功效：具利胆、降压、利尿、减肥作用。

美人汤水和药膳
The "煲"出清水美人
menu of Chinese medicine meal
汉方
瘦身秘笈

中国的饮食文化源远流长，麻辣可口的川菜、清淡适宜的湘味、酸辣并重的晋陕味、十分讲究的御膳味，都是使人胃口大开的饮食。唯有药膳这支饮食文化中的奇葩，展示给人们的是治病与保健的佳肴。

相传，在我国元代，朝廷中就有专门给皇宫贵族的御膳房、御膳师们对那些体态臃肿的皇家贵族们、设法使他们对体态满意些，就在御膳中加入中药来改善体形。元代忽思慧的《饮膳正要》中就曾记载了许多能利水、消肿、减肥、润五脏的饮食方，至今仍闪耀着中国传统食疗学的光彩。

药膳减肥与现代医学相同，对于肥胖，光用药物是无法根治的，必须配合合理的饮食再配以适量的药物，以及适当运动才达到治疗的效果。这些含有中药的膳食充分发挥了中药特有的寒、凉、温、补的四性，辛、酸、甘、苦、咸的五味以及心、肺、脾等归经的作用，给人体脏腑经络中容易产生肥胖因素的部位或器官施以或去风、或清热、或泻下、或利水去湿、或消导积滞的药物，从而在根源上来杜绝人体肥胖的成因。

中国特有的药膳料理，整体考虑食物寒、凉、温、补等属性，将枸杞、当归、参类等常见药材搭配入菜，烹调出一道道色、香、味俱全的佳肴。在减肥期间，若能适时地用药膳为自己“补”一下，不但能补充体力，还能调理体质、养颜，让你不会因减肥而赔上健康！

※轻身冬粉汤※

材料：

杜仲75克，黄精、枸杞各3钱，山楂7钱，姜1小块，米酒1瓶，里肌肉200克，冬粉1把，芹菜少许，水3碗

做法：

① 杜仲加米酒煮开后转中小火，慢熬至剩1碗半汤汁备用。

② 山楂、黄精、枸杞、姜加水，熬至剩1碗汤汁备用。

③ 上述两种汤汁混合加入冬粉煮开，再入里肌肉片煮开，洒上芹菜末，适度调味即可（体虚者适合）。

大黄消脂绿豆汤

※大黄消脂绿豆汤※

材料：

生大黄1钱，山楂6钱，车前子3钱，黄芪3钱，绿豆150克，红糖适量，水6碗。

做法：

① 山楂、车前子、生大黄、黄芪加水煮开，慢火熬20分钟，去渣备用。

② 药汁加绿豆放入电锅煮烂，加适量红糖即可。

功效：

本药膳有助于消脂及排除体内过多的水分作用，适用于湿热便秘者。

※美体山楂凉冻※

材料：

山楂100克，洋菜20克，冰糖少许

做法：

① 山楂加入350毫升水，煮30分钟后，滤渣备用。

② 洋菜切细加入山楂水和适量冰糖，煮至洋菜完全融化即可。放凉后置入冰箱内冰凉更好吃。

功效： 山楂可以帮助去除油腻，特别适合作为饭后甜点，好吃又能消脂减肥。

※清热双花豆芽汤※

材料：

玫瑰茶1钱，菊花1钱，黄豆芽200克，金针菇50克，荸荠50克，葱丝少许

做法：

① 菊花、玫瑰茶加水1000毫升，煎15分钟后去渣；金针菇洗净、荸荠切丝。

② 起油锅下葱丝略炒，加入药汁，待沸腾后下黄豆芽、金针菇、荸荠煮至熟，即可加盐调味。

③ 吃前滴2滴香油将更美味。

功效： 菊花清热，玫瑰花理气疏肝，黄豆芽、金针菇富含植物性蛋白质、维生素及纤维，皆有助于减肥。

※降脂素八珍面线※

材料：

玉米笋3支，红枣5粒，胡萝卜小段，青红叶4小株，全麦面线1束，当归2钱，熟地1钱，炒芍1钱，川芎0.5钱，党参100克，白术50克，伏苓50克，甘草50克。

做法：

① 将所有药材，加4碗水熬汤，熬成2碗份量，然后去渣留汁。

② 药汁加入红枣、玉米笋、胡萝卜片、素肉块，再放入面线，加盐调味后，最后放入青江菜，滚后熄灭即可。

※低热枸杞蛋炒饭※

材料：

蛋1个，饭1/2碗，枸杞2钱，橄榄油1匙。

做法：

① 枸杞先泡水再沥干备用。

② 蛋打匀后，热锅加油炒蛋，再加入饭、枸杞炒匀即可。

※山楂决明瘦身汤※

材料：

瘦猪肉150克，山楂50克，草决明(决明子)50克，糖一茶匙，盐适量。

做法：

① 瘦猪肉清水洗净切片，飞水。

② 山楂、决明子清洗干净。

③ 适量的水煮滚，放入所有材料，大火煮10分钟，转文火煮1.5小时，加糖、盐调味后即可饮用。

功效： 清肝火、通便秘、减肥、健脾胃。

※纤体麦冬排骨汤※

材料：

麦冬2钱，玉竹4钱，白芷3钱，枸杞3钱，排骨半斤

做法：

将排骨和所有药材一起燉煮，亦可加入红枣，滋味会更香甜。

功效： 本汤品可以经常食用，对淡化斑点有不错功效，且据神农本草经的记载，还有“轻身”功效，久食可使身材轻盈苗条。

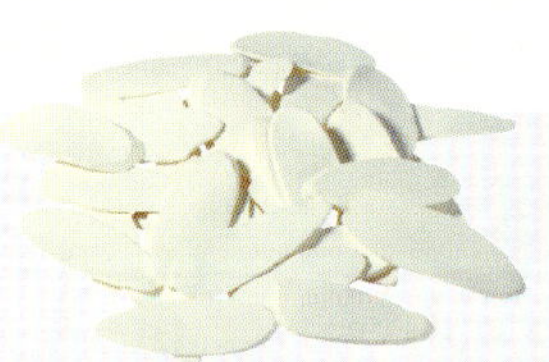

※降血糖山药片汤※

材料：

山药一块（约160克），鸡胸肉200克，山楂2钱，胡萝卜一小段，盐适量。

做法：

① 山药削去外皮，切成薄片，放入水中浸泡，可防止山药变黑。胡萝卜切成小段。

② 鸡胸肉切薄片，抹一点太白粉，可以让鸡肉吃起口感鲜嫩。

③ 山楂洗净，加4碗水熬汁，水滚后放入鸡胸肉、山药片、胡萝卜，加盐调味，待鸡肉、山药煮熟后，熄火即可食用。

※祛水冬瓜枸杞烧※

材料：

冬瓜800克，胡萝卜1段，枸杞2汤勺，酱油1小匙、精盐1小匙，鸡蛋清2大匙。

做法：

① 冬瓜与胡萝卜洗净，削皮切成薄片。枸杞洗净。

② 除了盐以外，将所有的材料放进砂锅中加水以大火炖烧，水滚后转为小火，焖煮20分钟。

③ 起锅前加盐调味。

功效：

营养丰富，既可减肥又可降暑，是炎炎夏日餐桌上的首选。

※利尿冬瓜薏仁瘦肉汤※

材料：

冬瓜50克，薏仁15克，瘦猪肉30克，陈皮一小块，生姜1片。

做法：

① 瘦猪肉洗干净切片，飞水。

② 冬瓜连皮切块，薏仁洗净。

③ 水煮滚，加入所有材料，大火煮10分钟，转文火煮2小时，加盐或是鸡精调味即可食用。

功效： 利尿去湿、美白洁肤、瘦身健体、健脾补肺。

※去脂枸杞凤梨苦瓜鸡※

材料：

苦瓜1/2条，鸡腿1双，凤梨罐头1小罐，枸杞一小匙。

做法：

① 苦瓜洗净，去籽，切成丁块。

② 鸡腿洗净，切成块后用滚水氽烫去腥。

③ 将苦瓜块、鸡腿块，枸杞一同置入炖锅中，将水与凤梨汁一起用大火煮至水滚后转为小火炖煮30分钟。

④ 再加入凤梨炖煮30分钟后，加盐熄火。

功效： 美容嫩肤，清凉下火，经常食用，有助于去脂、降压。

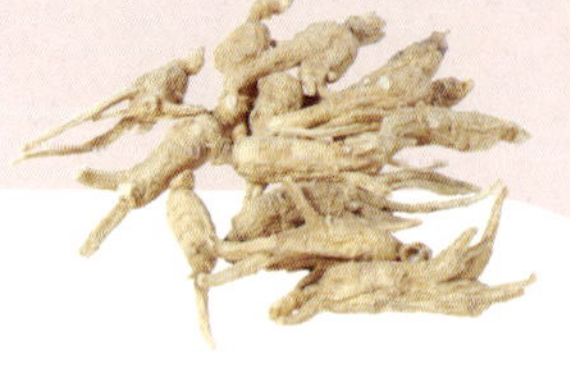

※消肿参芪鸡丝煮冬瓜※

材料：

鸡脯肉200克(切丝)，冬瓜片200克，黄芪、党参各3克。

做法：

将鸡脯肉，黄芪、党参一同放砂锅内，然后加水500毫升，以小火炖至八成熟，氽入冬瓜片，调加盐、黄酒、味精适量，冬瓜熟透即可。

功效： 本膳中黄芪、党参、鸡肉补中益气，冬瓜消肿利水，诸物相配，具有健脾利水去脂之功效 。

※猪肝活血减脂汤※

材料：

当归1片，黄芪3钱，丹参、生地黄各1.5钱，姜5片，米酒半碗，麻油1汤匙，猪肝4两，菠菜1/3把，水3碗。

做法：

① 当归、黄芪、丹参、生地黄加3碗水煮至剩1碗药汁，过滤备用。

② 麻油加姜爆香后，入猪肝炒半熟，盛起备用。

③ 将米酒、药汁入锅煮开，加入猪肝煮开，再下切断的菠菜煮，适度调味即可。

功效： 营养丰富，既可减肥又可降暑。

※祛湿黄芪青鸭羹※

材料：

青头鸭1只，草果1个，赤小豆250克，黄芪1钱。

做法：

将草果、赤小豆，黄芪装入洗净的鸭腹内，入锅加水，文火炖鸭熟烂，加入少许葱、盐即可，空腹饮汤食肉或佐餐。

功效： 本膳中草果温脾燥湿，消痰化积，青头鸭补中益气，赤小豆健脾利水，诸物相配，具有健脾开胃、利尿消肿之功效。

※红豆薏米清热冻※

材料：

红豆、薏仁各150克，红糖少许，洋菜适量。

做法：

① 红豆、薏仁洗净浸泡20分钟后，加水1000毫升煮至熟烂，加糖调味后，放入果汁机中打匀。

② 将打匀的红豆薏仁放进锅中，加入切细的洋菜一起煮，直到洋菜完全融化。

③ 放凉后倒入布丁模型中，等冷却时即可放入冰箱冷藏食用。

功效： 清热、利尿，解毒、止渴，特别适合水肿型肥胖者食用。

※枸杞蟹肉烧冬瓜※

材料：

干蟹肉45克，净冬瓜200克，枸杞2汤勺，精盐、白糖、黄糖、姜、葱、湿淀粉各适量。

做法：

① 将蟹肉、枸杞放入碗内，加少许汤，放上葱、姜片，蒸20分钟。

② 冬瓜切3分厚的片，用沸水焯一下，捞出备用。

③ 锅坐火上，放入底油，煸出香味后，加入蒸好的蟹肉，倒上蒸蟹时碗里的汤，加精盐、白糖、黄酒、调好味。

④ 冬瓜入锅内，煮4－5分钟，用湿淀粉勾芡，即可食用。

功效： 具减肥健美之效，适用于肾脏病、心脏病、糖尿病和肥胖症等患者食用。

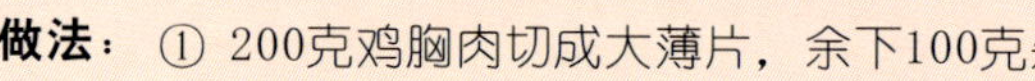

※低热桃杞鸡卷※

材料：

枸杞子50克，核桃仁50克，鸡胸肉300克，蛋清25克，油250克，盐、味精适量。

做法： ① 200克鸡胸肉切成大薄片，余下100克剁成泥状。

② 核桃仁在锅中用油炸熟后压成末。

③ 将核桃仁末与鸡肉、盐、味精搅拌成馅心。

④ 将馅心分别放在鸡片上，卷起，封口处沾上蛋清。

⑤ 放入锅中炸熟，取出盛盘中待用。

⑥ 枸杞子加水煮2分钟后，加盐、味精拌匀，倒入鸡卷中即成。

※清肝薏仁雪莲汤※

材料：

薏仁10克、红豆10克、小汤圆10克、雪莲100克，黑糖15克。

做法：

① 将薏仁、红豆泡水2小时，一起煮至熟软后，加入黑糖拌匀调味。
② 另煮一锅水将小汤圆煮熟，捞起沥除水分后，放入一起。
③ 雪莲切丁放入碗中，即完成此道甜汤。

功效： 利尿，消水肿，清肝解毒、整肠健胃。

※降脂灵芝甜酒※

材料：

灵芝50克，粮食酒1000克，蜂蜜20克。

做法：

将灵芝洗净，晾干，切成片，加酒和蜂蜜，密封，冷浸30天，即可饮用。

功效： 降低血脂，益气补脾，镇静安神。

喝出窈窕好身姿 草本瘦身茶

The herbage tea

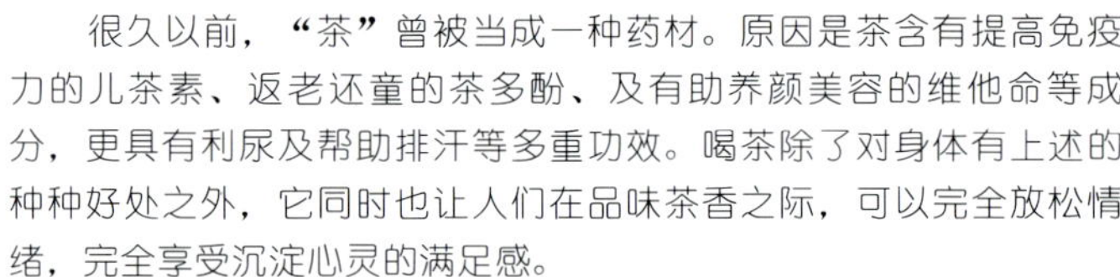

1 为什么常喝“草本”茶就能让身材保持窈窕？

很久以前，“茶”曾被当成一种药材。原因是茶含有提高免疫力的儿茶素、返老还童的茶多酚、及有助养颜美容的维他命等成分，更具有利尿及帮助排汗等多重功效。喝茶除了对身体有上述的种种好处之外，它同时也让人们在品味茶香之际，可以完全放松情绪，完全享受沉淀心灵的满足感。

根据长期的经验，人类发觉许多自然界的植物中，都有治疗疾病的功效。对现代人来说，泡一壶花草茶不但不须大费周章，而且喝花草茶是最能展现药草效用的方法之一。

当我们的情绪起伏不定、压力太大时，往往会借此大吃一顿来发泄，这个现象在女孩子身上尤其常见。这个时候，喝杯香甜可口的花草茶，或是口味较清爽的茶，都能使情绪逐渐安定下来。所以，适时地喝杯茶，可以防止毫无节制的暴饮暴食，进而达成减肥的目的。在减肥过程中，保持愉悦的心情是非常重要的，这样才能使自己不因暴饮暴食而陷入减肥又复胖的恶性循环之中。

花草茶中的抗氧化作用除了能防止老化之外，还能提高体内的新陈代谢率，换句话说，常喝花草茶能使体内细胞在良好环境中生长，并进行正常的代谢循环，体质自然就不容易变胖。

除此之外，喝花草茶对身体还有另一个好处，那就是它完全不含咖啡因。一般来说，咖啡因对人体的影响有好有坏，其优点是：在精神状况不佳时，它有暂时振奋精神的功效，而且有利尿功能；缺点则是会引起慢性头痛及便秘等症状。

因此，完全不含咖啡因的花草茶能让身心感到绝对的放松与舒畅。虽然有些人习惯在下午时来杯咖啡或茶，但是你知道吗？在清晨或是晚上喝花草茶的效果也很好喔！

2 善用茶饮——轻松窈窕

别小看制作茶饮，从药材的选购、保存、制作到饮用的方法，都是一门学问呢！懂得善用茶饮，再搭配饮食和运动，多方齐下，就可拥有窈窕身材！

茶饮的制作

冲泡：适用于一般花、叶、种子的药材。直接将材料放入杯中，加入沸水冲泡，再加盖焖约10分钟，即可代茶饮用。

煎煮：适用于根类、树皮类的药材。必须先将药材放入锅中，加入适量的冷水，以大火煮沸，再改用小火煎煮，去除药渣，代茶饮用。因为根类、树皮类的药材需要煎煮，有效成分才容易释出。

滤包：将药材装入棉袋或滤纸包中，再冲泡或煎煮，可以省去滤除药渣的过程，适合外出携带时使用。

药茶材料的购买及保存方法

在购买药茶材料时要注意其新鲜度，以及是否有霉味；买回来的药材，应贮存在低温干燥处，避免受潮发霉、药味变质或生蛀虫。另外，因为药材容易吸收异味，不要与樟脑丸、香皂放在一起。否则不但会影响茶饮的口感也影响健康。

药茶的饮用法

热服：茶饮趁热、趁温时饮用，但不宜烫饮。大部分的茶饮适合温服。

凉服：将茶饮放置等凉后饮用。有肝火盛的高血压病，或肠内有热的便秘症时适合凉饮。

依症状来选用茶饮：除了通用茶饮方之外，应参考适用和忌用的提示来选用茶饮，以达到最佳效果。

注意事项

①含有叶类、花类的茶饮不宜冲泡或煎煮过久，以免破坏了其中的挥发油。

②茶饮需按照使用方法服用，不宜过量，以免造成不良后果。

③煎煮或冲泡的器具以瓷器、陶器、不锈钢材质为宜，不要选用铁器或含铝制品。

3 美丽起跑：相约纤体茶馆

Let's go : have a meeting in the tea house

纤体强身茶

材料：

柴胡3钱，甘草1钱，红枣3颗。

做法：

将柴胡、红枣洗净剥开，再连同甘草放入茶杯中，冲入500毫升的热水，盖杯焖5分钟即可饮用。

功效：

此茶饮对普通的感冒有抑制的效果，长期服用不但可以增强身体的免疫功能，还可将脂肪代谢掉，如三酸甘油脂、胆固醇过高等皆有显著的改善。工作劳累、晚睡造成肝机能较差，可将此品当成保肝的茶饮。

轻身减肥茶

材料：

黄芪、防已、白术、首乌各5钱，泽泻、山楂、丹参、茵陈各9钱，仙灵脾3钱，生大黄2钱。

做法：

将药材皆打碎，煎成药汁，每日2次，每次口服50毫升，超过标准体重25%以上的人可增至150毫升，使用中若大便泄泻不止者，可减少大黄用量。

功效：

可益气健脾、清热养阴、去脂减肥，对胃热型肥胖者效果好。

夏枯草降脂茶

材料：

夏枯草1两，杭白菊、苦丁茶各5钱、决明子4钱。

做法：

所有材料以水煎煮代茶饮。

功效：

夏枯草降脂茶可降血压，增进毛细血管的通透性，并能改善高血压所引起的头晕昏眩等症状。

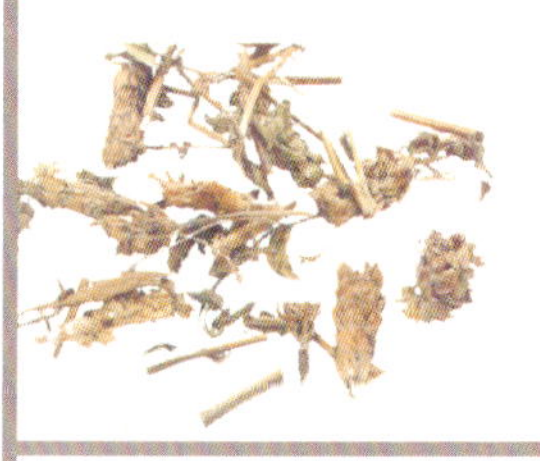

瘦身大黄绿茶

材料：

大黄，绿茶

做法：

大黄和绿茶以1：3的比例以热水冲泡饮用

功效：

此茶饮可减肥消脂，是想要瘦身者一大福音。

山楂洛神纤体茶

材料：

山楂1钱，洛神花2朵，菊花5朵，普耳茶茶叶1匙，冰糖2小匙。

做法：

① 除了菊花外，将其余材料快速用清水冲净，沥干。

② 将山楂、洛神花及茶叶放进茶壶中，再倒入滚水，并加入冰糖和匀，待香味溢出，撒上菊花即可。

功效：

普耳茶是近年来的瘦身明星，加上山楂促进消化效果，简直就是完美。

减脂健美茶

材料：

何首乌3钱，山楂3钱，决明子3钱，薏仁5钱，生甘草2钱，冰糖适量。

做法：

将所有材料加适量的水，浸泡30分钟后，大火煮滚转为小火，再燉煮1小时即可。

功效：

“脸油得可以煎蛋”的人非得试试这帖减脂健美茶不可，而且它还可以润肠通便、降低胆固醇、预防血管硬化，让你喝出好身材与健康！

决明枸杞降脂茶

材料：

决明子4钱，枸杞10粒。

做法：

①将杯子用热水烫过温杯。

②杯中放入决明子、枸杞及500毫升左右的水，用沸水冲泡约10分钟即可饮用。

功效：

可以降低体脂以及润肠通便，减少便秘、胀气的机会。此外还可预防高血压、高血脂，对眼睛也有很好的保护及明眼作用！

理气玫瑰茉莉绿茶

材料：

玫瑰花，茉莉花适量，绿茶包1个。

做法：

①杯子先用水烫过温杯。

②将玫瑰花、茉莉花、甘草与茶包放入热水中，浸泡约2-3分钟，待香味溢出即可。

③可加入少许蜂蜜调味，使口味芬芳好入喉。

功效：

可消脂瘦身，尤其是腹部的脂肪及赘肉。亦可改善内分泌失调、调理血气、使肌肤红润有光泽。肠胃不好的人，可用红茶替代绿茶，比较不会对肠胃造成刺激。

清凉洛神荷叶茶

材料：

洛神茶4钱，荷叶半片，蜂蜜适量。

做法：

① 将洗净的荷叶沿脉络剪切成小块，与洛神茶一起放入约500毫升的水锅中，熬煮15分钟。

② 加入适量蜂蜜或冰糖调味，可避免酸涩的口感但切忌过甜。

功效：

洛神花酸甜的口感一直以来广受大家的喜爱，这道茶饮不但味道好，还可以去除油腻、消除胀气，让人远离臃肿身材，是适合全家饮用的天然饮品。

降压山楂荷叶茶

材料：

山楂5钱，荷叶3钱。红枣2-3颗。

做法：

将500毫升开水煮沸，放入所有材料，煮滚约5分钟后，即可去渣饮用。

功效：

此道茶饮可以降体脂、健脾、降血压、清心神、可以预防肥胖症、高血压、动脉硬化等疾病。因为山楂食用过多会对肠胃刺激，可以加入红枣让茶饮更平和好喝。

祛水肿丹参菊花茶

材料：

丹参、茯苓、菊花各3钱，甘草2钱。

作法：

将上述药材加200毫升的水煮开，再用小火煮10分钟，可当日常饮用。

功效：

丹参可以活血化瘀，菊花清热解毒，亦可降脂减肥，而茯苓除了具有排除水分的效果外(消除水肿)，常食用也能够使皮肤更加白皙。

Let's go : have a meeting in the tea house

化瘀山楂根菊

材料：

山楂根(粗末)、茶树根(粗末)、茵陈、玉米须(切碎)各10克。

做法：

将上述材料放入500毫升的水中，以小火煮20分钟，去渣饮用。

功效：

山楂根活血消肉积，茶树根利水化浊，茵陈、玉米须利尿渗湿，茵陈降脂利胆，诸药合用，具有化瘀利尿、降脂减肥之功效，用于本病瘀阻湿滞证或兼有胆囊炎、胆石病者。

Chinese traditional medicine meals to let you become busty
3
丰胸药膳
让你吃出
——『峰』润好身材
第三章

建议多食用的食物

蹄膀、猪脚、猪肝、牛肉、牛乳、虾子、螃蟹、海参、鳝鱼、鳗鱼、花枝、章鱼、干贝、鲍鱼、鱼翅、海带、鲔鱼、其它鲜鱼、黑芝麻、花生、黄豆、红豆、胡桃、南瓜、马铃薯、豆腐、白萝卜、韭菜、丝瓜、燕麦、色拉、木瓜、甘蔗、香蕉等。

爱吃是女人的天性，若是可以透过一些好吃、简单的药膳来刺激胸部的发育并达到保养之效，你又怎容错过这“吃出坚挺双峰”的机会呢？

为什么电视上女明星们的身材，个个都是那么波涛汹涌、火辣辣的呢？其实，除了天生丽质外，许多女星纷纷透露自己“培养”身材的秘诀，原来啊，药膳功不可没呢！

依照中医原理，身为女性者，如果想要充分发育出婀娜多姿、凸凹有致的魔鬼曲线，首先要用心注意的，就是血液循环是否良好顺畅？每个月的生理周期、经血颜色是不是也都正常？如果有感觉到任何不对劲、不舒服的地方，不妨尽快请医生检查、调养体质。

事实上，如果忽略本身气血不足的现象，就会影响到发育，而发育一旦受到影响，胸前自然无法达到“伟大”的境界了。所以，若有脸色唇色苍白、容易头晕、经常心悸或失眠、月经量少……等气血不足的现象，就可以多吃一些补气补血的药膳，以改善体质、步步达到丰胸的目标哦！

再者，根据中医的经络来看，影响胸部发育的关键因素之一，就是“胃经”，如果营养充足，则胃经的发育就会健全，所以若能适当地食用营养丰富的药膳，则胸部的发育就会好。

除了胃经外，“肝经”的调养对于丰胸的影响也不容忽视，所以以下提供了相关的药材茶饮，让你丰胸的计划更加完备。不过凹凸与肝经和情绪压力最有关系，若是经常烦恼、钻牛角尖，就容易影响胸部发育，因此除了靠药膳慢慢“栽培”你的胸部外，还要时时保持心情开朗哦！

七大经典丰胸药材

Seven Chinese traditional medicines to let you become busty

从中医的观点，乳房为胃的经络所经过，中央乳头的部位属肝经，性腺则属肾经范围，因此我们可以从调理胃、肝、肾三经之气着手，来促进女孩胸部的再发育。很多聪明的女性会用一些中药材来保养身体，事实上，若是懂得善加利用，有些药材的丰胸效果，更是你不能错过的！

人参

人参，味甘微苦，性微温是运用相当广泛的一种补气药，可调节女性虚寒的体质，帮助身体吸收营养，让胸部可得到充足的发育“资本”。

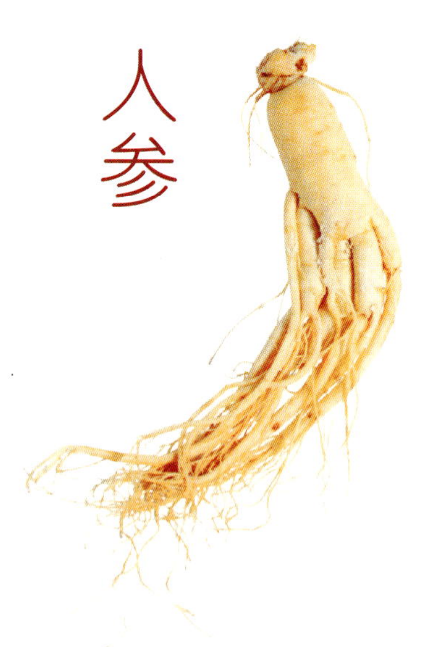

功效与应用

☆大补元气　☆安定心神

☆增强免疫力　☆改善消化吸收功能

☆抗过敏　☆调节血糖与胆固醇

注意事项

◎以人参为进补药材时，剂量不可过多。

◎在选用人参种类时，高血压患者不可服用红参。

◎喝茶和吃萝卜会影响人参药力，最好避免同时服用。

◎由于人参是容易引起发霉、虫蛀的药材，保存时最好用精致的容器包装密封，放置于干燥的地方收藏。

川芎

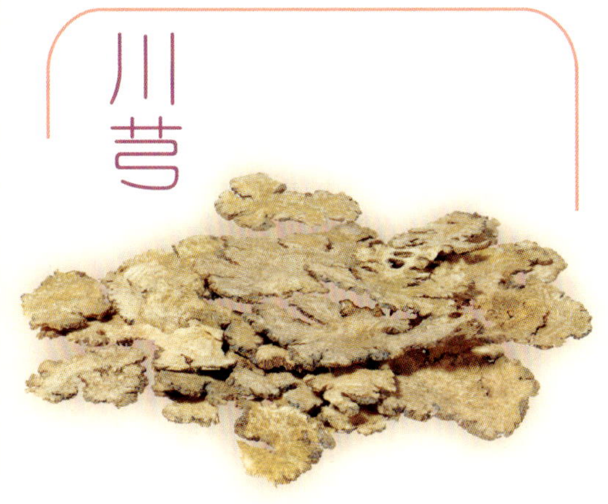

川芎，味辛，性温，是活血、行气、祛风止痛等功效兼具的活血去瘀药。从身体调养起，自然达到美胸的效果。

功效与应用

☆改善月经不调、痛经、闭经。

☆治疗因感冒风寒所引起，或与风湿有关的偏头痛。

☆可改善与风湿、气滞有关的血脉闭塞、血不养筋所导致的肢体疼痛、麻木、瘫痪等病症。

注意事项

◎在使用上宜用小量，约2-3钱即可，若份量过重容易引起呕吐、晕眩等症状；此外，月经过多，有出血性疾病，阴虚火旺者皆不宜使用川芎。

山药又称淮山（干品），味甘，性平，是补气药的一种。可以缓和女性的更年期老化症状，也能让胸部美丽的容颜维持得更久。

功效与应用

☆补脾胃、益肺补肾

☆改善频尿、遗精、白带清稀量多的症状。

☆调节血糖。

☆提高免疫力。

☆改善妇女更年期症状的效果。

注意事项

◎山药因有收敛作用，凡是大便干燥、患有感冒、发烧者最好避食。

◎因山药滋补，体质属燥热的人，亦不可食用过量。

◎除了以烹煮一般食物方式调理，山药也常以煎服方式使用，但使用时要注意的是，若煎煮时间过久，会使山药所含的淀粉消化酵素失效而影响其效果。

山药

构杞，味甘，性平，是常用的滋补良药。枸杞含有丰富的铁质等营养素，可帮助内分泌运作正常，胸部也能自然发育。

功效与应用

☆解除因肝肾阴虚所引起的头晕目眩、视力减退、腰膝酸软、遗精等症状。增强视力。

☆降血糖、降血压、降胆固醇。

☆促进肝细胞增生、抗衰老、健脑安神等作用。

注意事项

◎枸杞性平，服用虽为平补，但有“内热”者在使用上还是要小心谨慎，适量为宜。

枸杞

红枣

红枣，味甘，性温，是补气药的一种。富含铁质，是改善你的气色、美丽你的胸部最天然的保养品。

功效与应用

◎补中益气、养血安神，可改善脾胃虚弱、妇女更年期的肝躁、精神不济等情形。

◎与生姜搭配服用，还有增进食欲、促进消化的作用。

◎具缓和猛烈药物药性的功用，可让使用者不至于因服用猛烈药物而伤及脾胃。

注意事项

☆龃齿疼痛、腹部胀满、有便秘症状者则不宜服用红枣，或应少量使用。

桂圆，就是一般所谓的“龙眼”，桂圆肉味甘，性温，可安神补血健脾，与红枣搭配，便是一道最简便而有效的丰胸茶饮。

功效与应用

☆有滋养作用，可安神、补益心脾。滋补而不腻，可有效改善气血不足、体弱的症状。

注意事项

◎火气较大，如严重口臭、便秘、青春痘、嘴角炎、流鼻血或牙龈出血，就不适宜经常食用。但若是偶尔吃一两粒，则有增强体力与补血的作用。

桂圆

当归，味甘辛，性温，是很好的补血药和妇科调经药。能让女性的月经顺畅运行，胸部的发育也不会受到阻碍。

功效与应用

☆调整月经周期、止痛、促进血液循环、及润肠通便，血虚症、妇女月经不调、痛经、经闭，都相当适合使用。

☆保护肝细胞、抗菌消炎、降低血脂、改善动脉硬化、增加冠状动脉血流量、防止心肌缺血、促进伤口愈合等。

注意事项

◎当归依煎煮时间长短，会对子宫造成不同影响，久煎50分钟左右，可增强子宫收缩；起锅前20分钟才放下去煮，则有益于子宫弛缓。

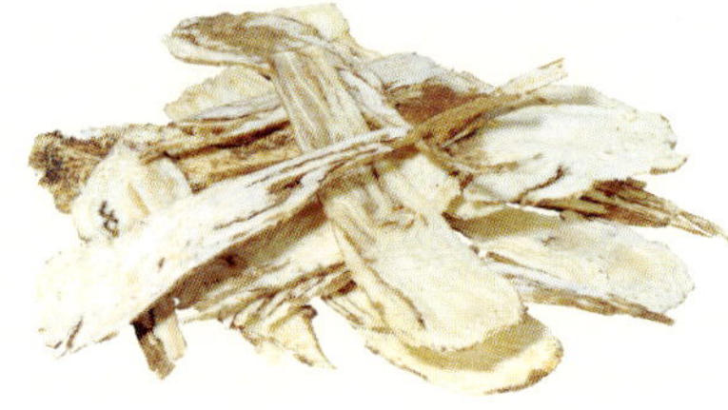

创意美食 DIY

The originality cates DIY

※紫河车丰乳汤※

功效

补气养血、补肾益精、促进乳腺发育、养颜美容。

材料

紫河车一个（中药店有售），瘦猪肉10克，党参25克，山药（淮山）25克，枸杞子15克，红枣6粒，姜2片，蜜枣2粒，盐，鸡精适量。

做法

① 瘦猪肉切块洗净飞水备用。

② 其他材料洗净后备用。

③ 将所有材料放入滚水炖盅内，加入2-3碗热水，隔水炖2.5个小时，汤成后加盐及鸡精调味即可饮用。

紫河车的功效：含丰富女性激素助孕酮、类固醇激素、促肾上腺皮质素等。紫河车即是胎盘，性味甘咸而微温，能有效促进乳腺、子宫、阴道、睾丸发育。本方适合身体虚弱、乳房发育不良、脸色萎黄苍白者饮用。

※美胸木瓜鸡汤※

木瓜是最常用的丰胸食物，搭配上活血补血的当归和枸杞，不仅可以红润肌肤，也具有让胸部坚挺的作用，是道低脂清爽却稍具香甜滋味的汤品。

材料

鸡腿一支，中型木瓜半条，枸杞1汤匙，当归3片，酒和水适量。

做法

① 鸡腿汆烫，木瓜去皮切块备用。

② 将所有材料放入电锅内炖煮约40分钟即可。

※美胸十全麻油鸡※

具有温补气血的作用，适用于气血两虚，体质虚寒的人，而桔梗则具有引药上服带到胸部的功能，能促进胸部的发育。

材料

乌骨鸡或母鸡1只，姜3片，党参3钱，白术3钱，白茯苓3钱，炙甘草1.5钱，当归2钱，川芎1钱，熟地5钱，白芍3钱，黄芪3钱，菟丝子3钱，红枣6个，桔梗1钱，麻油少许。（容易腹胀者酌加广皮3钱、砂仁1钱）

做法

① 将全部药材放入纱布袋中（红枣除外）。

② 将已烫除血水的鸡肉，与姜、药袋一起放入锅中，加适量水及米酒一汤匙，先以大火煮滚，捞除浮沫后改为小火。炖煮约50分钟后，取出药袋，再加盐，麻油调味即可食用。

※滋阴丰乳银耳汤※

对虚火上升，时常感觉口干舌燥、烦热多汗、大便干结的女性，特别适用这种滋阴清热、益气养血的药膳，其中，白木耳富含胶质，对胸部的发育亦有帮助。

材料

太子参3钱、新鲜山药半斤、玉竹5钱、麦冬5钱、桔梗1钱、红豆50克、白木耳及冰糖适量。

做法

① 将山药洗净切成块，白木耳泡软。

② 把太子参、玉竹及麦冬放入药袋中，加适量水熬煮约1小时，留汤汁备用。

③ 红豆加水浸泡1小时后，开大火煮滚，再转小火煮10分钟，熄火焖1小时后再转大火，并加入熬煮好的汤汁、山药及白木耳，煮滚转小火，再煮约5分钟，最后熄火焖约30分钟即可。这种细心的煮法，不仅可以保持红豆及山药的外型，并可保有其香甜的滋味。

※白茅养生餐※

材料

红白萝卜各1条，绿花椰菜半朵，蛤蜊500克，白茅根75克，太白粉、葱丝适量。

做法

① 白茅根加水250毫升，煮15分钟后沥渣，蛤蜊蒸好放凉挖出蛤肉备用。

② 红白萝卜切块，放入滚水中煮10分钟后捞起备用。

③ 绿花椰菜放入滚水中，烫熟备用。

④ 热油锅，加入红白萝卜及白茅根水以小火焖煮至熟软，再加入绿花椰菜以入太白粉勾芡，最后将蛤肉沥上拌匀即可。

※黄芪润肤美胸汤※

黄芪、党参补气，茯苓、白术、山药能滋补脾胃、促进血液循环，而猪肚具有调理肠胃、增强消化吸收的功效，故此道药膳无论是青春期少女的发育丰胸、年轻女孩的美胸润肤、抑或中年妇女的养生保健，都有助益。

材料

黄芪、党参、茯苓、白术、山药各3钱，猪肚1个，酒2大匙，盐适量。

做法

① 猪肚买来后，翻面以面粉或盐巴反复搓洗干净，翻回正面稍汆烫以去苦腥味，然后切成条状。

② 将猪肚和所有药材放入锅中炖煮，水滚后转小火再熬煮1小时，待猪肚熟烂后，加盐、酒调味。

※通草炖猪脚丰胸汤※

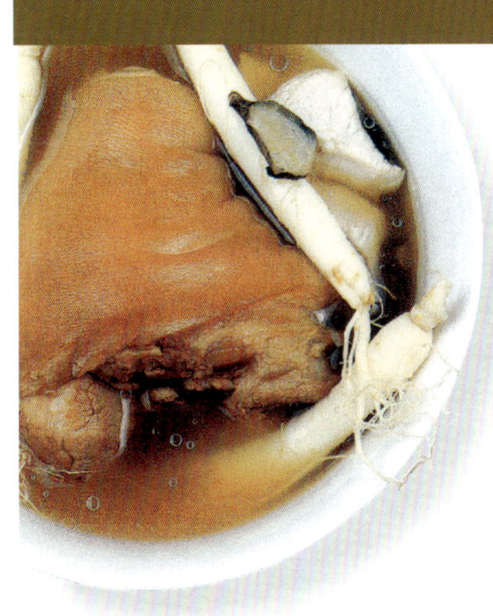

可以治疗小便不利、产后乳汁不通或稀少、眼昏、鼻塞、下肢水肿等症，还可以促进胸部的发育。

材料

通草1钱，炙甘草2钱、猪脚2支、香菇5朵，姜3片。

做法

① 将猪脚洗净切块，香菇切半备用。

② 滚水中加入姜片，快速汆烫猪脚后捞起。通草洗净后装入纱布袋中。将以上所有材料及炙甘草一起放入炖锅中。

③ 用1500毫升的水，大火滚后，小火熬炖1小时，待猪脚熟透后，调味即可熄火。

※参芪玉米排骨汤※

党参、黄芪都有补气功效，与玉米、排骨一起煮汤，不仅可以让汤汁更香甜，也能促进血液循环和荷尔蒙的正常分泌，可以帮助乳房的发育与坚挺。

材料

党参、黄芪各3钱、玉米两穗，小排骨半斤，盐2小匙。

做法

① 玉米洗净，剁成小块，排骨以开水汆烫过后备用。

② 将所有材料和药材一起放入锅内以大火煮开后，再以小火炖煮40分钟，起锅前以少许盐调味即可。

※美胸胡桃豆腐羹※

胡桃具有丰胸作用，又富含维他命E，搭配上豆腐这种女性保养不可或缺的豆类食物，具有极佳滑嫩好入口的妙滋味。

材料

胡桃2两，豆腐1块，高汤、酱油、麻油和香菜适量。

做法

① 锅子以少许油热过后，将胡桃放入用小火慢炒，炒熟后压碎备用。

② 嫩豆腐切丁，在高汤内炖煮约20分钟，加入酱油后，再煮5分钟。

③ 放入胡桃，稍勾芡后即可起锅，上桌前滴几滴麻油，撒上香菜即可。

※木瓜蹄筋丰胸汤※

材料

党参3钱、伏苓3钱、麦冬3钱、通草1钱、香附1钱、枸杞5钱、红枣5粒、熟蹄筋200克、青木瓜2个（约1斤）、猪大骨1斤、生姜、米酒、盐适量。

做法

① 猪大骨烫过洗净和上述药材1置锅内，加水十碗，烧开后以小火熬约40分钟后过滤取汤汁备用。

② 蹄筋洗净同青木瓜（削皮）切块状置锅内，倒入上述汤汁，加生姜、米酒后放瓦斯炉上，以小火熬至蹄筋及木瓜烂即可，汤成加盐。

青木瓜不论是炖鸡还是炖排骨都可以达到极佳的丰胸效果。

胸肌的训练：胸肌训练的目的是促成乳房下的胸大肌增大，增大的并不是乳房本身，因为乳房是由乳腺和脂肪及结缔组织组成，本身并没有肌肉，但因为乳房下的胸大肌发达可以使乳房变得结实、挺拔，胸部看起来也就更加的丰满。

良好的饮食：乳房有不少的脂肪组织，饮食足够的营养，可以使乳房的脂肪量增加，促使乳房丰满。

正确的姿势：不论站或坐，都不应该弯腰驼背，应该保持挺拔的身姿，促使胸部突出，才能让胸部更健美。

愉快的心情：保持欢乐愉快的心情，有利于内分泌功能正常发挥，使性腺激素能够充分的分泌，才可以使乳房正常发育。

第四章
4
瘦身浴敷
——美人EASY
Having a Chinese medicine bath to become a beauty easily. ○○○

把喜爱的药草放进浴缸里吧！全身浸泡在天然的香气中，让身心同时恢复活力。在泡澡中按摩身体，能促进机体的新陈代谢，使肌肤变得光滑细致的同时，更让可恶的脂肪消失无影！请尽情享受泡澡时的放松时刻吧，美肤、美体、美心情！

Become a Chinese medicine bath beauty

做个泡澡大美人

★让曲线更窈窕★

你知道泡澡时水中的体重只有原来的90%吗？而且每泡澡20分钟，就可以消耗220卡的热量喔！在水中进行的一些运动，因为水压与阻力的关系，可以让热量消耗得比在健身房中还快，尤其是下半身曲线的雕塑，会有事半功倍的效果喔。

★如何做个泡澡的大美人★

泡澡不只是洗净身体，更是放松心情，抛开烦恼，让身心健康的好方法！加入精油或其他材料而成的养生药浴，可不是这几年才有喔！其实早在四千年前就广为流传在一般人的生活中，甚至连宫廷中的名女人都用独家的泡澡配方来塑造吹弹可破的肌肤，最著名的是杨贵妃的华清池凝脂浴，以及慈禧太后的御用谷精草煎汤沐浴……，这些配方在流入民间之后，更成为风行一时的养颜保健药浴。你何不也来尝试一下，当温暖柔和的水流过肌肤，带来的舒畅与自在，更吸引人的是还有显著的瘦身效果，快来做个泡澡的美人儿吧！

畅通全身的气血，并大量排除体内废水；温热的水温能促进全身血液流畅，激发全身汗腺功能，活化细胞，气血通畅了就可以改善手脚冰冷的情形，更可以解除因长时间维持同一个姿势而造成的酸痛。

★皮肤细嫩有光泽★

对促使肌肤的新陈代谢及改善肥胖体质，具有很好的效果，泡澡时因为体温升高而顺利分泌油脂滋润肌肤，再加上血液循环良好、新陈代谢正常，皮肤可以获得更佳的营养，当然细嫩有光泽喽！

★消除疲劳、帮助好梦★

每个人还在妈咪肚子羊水中的温度，就是39℃左右，这个温度也是泡澡最适合的。现代人因为压力大，交感神经一直紧绷着，等到想要休息时都无法放松，许多人都会产生不容易入眠的情形，泡澡则可以有效的改善。因为温水可以加速副交感神经的作用，并安定自律神经，让紧绷的心神放松得到缓解，自然就可以得到一夜好眠。

★消除酸痛及僵硬★

常常保持同一个姿势而引起僵硬或酸痛吗？像是颈肩、腰部、背部，以及小腿……。泡澡可以让肌肉放松，消除酸痛，连因为受伤引起的筋骨萎缩、关节肌肉、痉挛疼痛，或是因宿疾而累积的风温痛、五十肩，酸痛麻痹都可以得到舒缓。

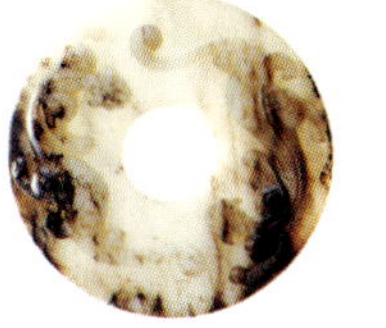

美人纤体泡澡法

The means of having a bath

基本器具及配备：浴巾、浴袍、浴帽、小脸盆、纱网袋或织布袋清洁去角质；按摩：泡绵、丝瓜络、沐浴棉，毛刷。

1

将材料洗净，加入少许水，用果汁机稍微打成粗粒。

1000毫升的水浸泡，煮约20分钟左右，萃取得到浓汁。

倒入布袋放入澡盆中，再加热调到适合的温度后浸泡。

注：有些花类药材不需要用煮的，可直接包进纱网袋，放入澡盆中用热水将效果冲泡出来即可。纱网袋除了方便将材料集中外，更可以防止水管的阻塞，善后更方便省力，不可少喔！

如果是在冬天进行泡澡，可以将浴室门关上再放热水，也可以莲蓬头用稍高的水温喷洒浴室的墙壁，让浴室充满蒸气温度上升，以免因温差大而受惊。

5

在脱衣前先清洁脸部(卸妆+洗脸)，再脱衣服洗净身体。若想要利用泡澡的蒸气趁机护发，就要在洗头后，抹上护发霜，再把头发整个包上浴帽。

慢慢的泡入浴缸中，先从四肢开始适应水温，再整个浸泡。以浸泡到胸部为最好，若浸泡到脖子，会因为水压太大，而增加心脏的负担，若胸部以上觉得冷，可用小脸盆淋上温水。泡约10分钟就须起身休息一下。

7

此时身体已完全温暖，可以起身擦干身体休息一下，并利用这个时间将护发霜洗干净，头发擦干并用干净的浴巾包起。

第二次再浸泡10分钟，可以在此时按摩身体，伸展四肢，想瘦哪里就多费心照顾一下。

起身擦干身体，穿上浴袍并喝一些水，补充因流汗而失去的水分，保养品也可以在此时使用！

基本器具及配備

基本配备：浴巾、浴袍、浴帽、小脸盆、纱网袋或不织布袋清洁去角质；按摩：泡绵、丝瓜络、沐浴棉，毛刷。

美人瘦脸敷

材料

薏仁、贝母各3钱、开水约30-50毫升

做法

① 将以上药材研为细末。

② 药材粉加水搅拌均匀后，敷于脸颈部，并避开发际、眉毛、眼眶。

③ 敷20-30分钟，等敷料八分干即可将敷料去除，用温水将脸洗干净。

使用时机

发作时，可每天敷用。

油性肤质：2次/周

干性肤质：7-10天1次

中性：1次/周

Do it!

早晚要多配合穴位按摩，每次15分钟，不可多吃甜品、淀粉类、咸物、蜜饯等物。不要熬夜，否则浮肿不容易消除。

廉泉穴：此穴道在下巴软颚处，按压此穴时可将下巴抬高，用拇、食指去按压抓捏下颚中间凹陷处，常按压使穴道可以刺激脖子的筋肉，使脖子的肌肉线条收紧。

颊车穴：位于下颚骨的两侧角边上，与耳垂的中段，嘴巴张开时会呈现骨头的凹陷处即是。也是一个消除下颚肥厚与双下巴的穴道。

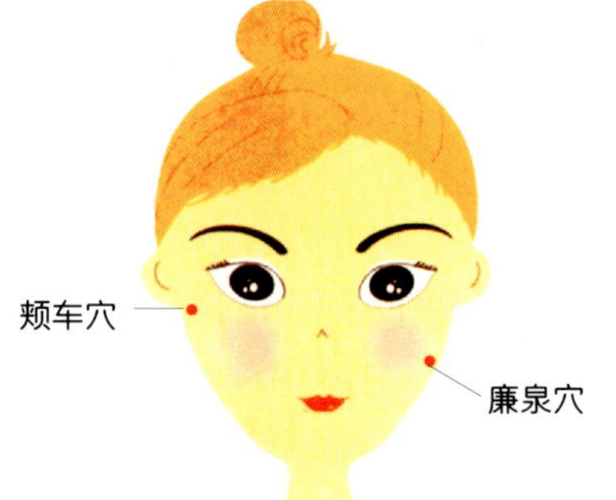

皮肤过敏者，请先试擦于耳朵后方或手肘内部皮肤10分钟后，如无特殊反应再擦于脸上。

纤纤玉手浴

材料

桂枝、桑枝、红花、延胡索各3钱

作法

① 以上药材稍微冲洗之后，加少许水放入果汁机中打碎后，放入小织布包中，扎好袋口。入锅中加水1000毫升煮20分钟。

② 将药汁倒入浴盆，加入热水中。双手洗净，慢慢泡入。

③ 每次泡5-10分钟，稍微休息后，续泡10分钟。擦干双手喝些水。

使用时机

每日早晚泡一次。

每3个月为一疗程。

Do it!

此泡也可光泡患部，平时要多按摩手部相关穴道，如合谷、内关等。

合谷穴：手掌虎口根部，近骨头部份，用手指压迫会有疼痛感。此穴位功效有提神醒脑、通经活络、退烧、行气开窍、通降肠胃、止痛、清热，祛风、调中补气。主治头痛、腹泻。鼻塞、下齿痛、肩酸、感冒发烧、痛经、风疹块，手指紧痛。

内关穴：手腕内侧，手腕横纹中贴处往上三指幅处，介于两条筋中央，按压会有酸麻感。此穴道的功效有补益心气、调畅气血、温中散寒、调脾和胃。主治为胃痛、气喘、心悸、止痛。

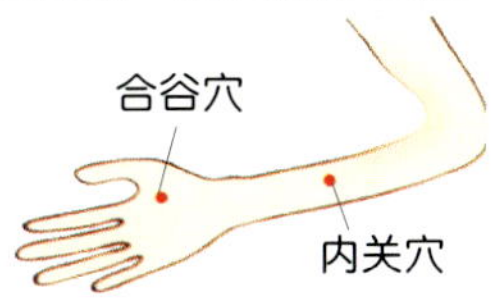

月经期间、怀孕、刚吃饱、饥饿、头晕时勿泡。

纤细手臂浴

材料

薏仁1两、桑枝3钱

做法

① 将以上药材冲洗之后，放入果汁机搅碎，倒入小织布包中。

② 入锅中加水1000毫升煮20分钟。

③ 将药汁倒入浴缸，加入热水中。

④ 身体洗净，慢慢泡入浴缸。

⑤ 每次泡10分钟后起来，稍微休息后，续泡10分钟。

⑥ 起身擦干，穿浴袍，喝水。

使用时机

每日早晚泡一次。

每3个月为一疗程。

Do it!

可配手臂脂肪揉捏法，将手臂的赘肉加以揉捏，每次配合泡澡时操作，另在有空（如等公车）、无聊时均可多做揉捏，以利脂肪的消散。每次至少10分钟，最好能来回揉捏、推挤约100-300下，忌吃甜品、油腻、辛辣食物。

平腹美肤浴

材料

丹参3钱、泽泻3钱、薏仁5钱

作法

① 以上药材料稍微冲洗之后，加少许水放入果汁机中打碎后，放入小织布包中，扎好袋口。

② 入锅中加水1000毫升煮20分钟。

③ 将药汁倒入浴缸，加入热水中。

④ 身体洗净，慢慢泡入浴缸。

⑤ 每次泡5-10分钟后起来，稍微休息后，续泡10分钟。

⑥ 起身擦干，穿浴袍，喝些水。

使用时机

每日早晚泡1次。

3个月为一疗程。

Do it!

可配合腹部的按摩，由顺时钟的方向，由内往外，推挤肥肉多处，并揉捏脂肪丰厚处，每次10-20分钟，大约300-500下，可配合泡澡时，于温盆中进行。并忌吃甜品、油腻、辛辣食物。

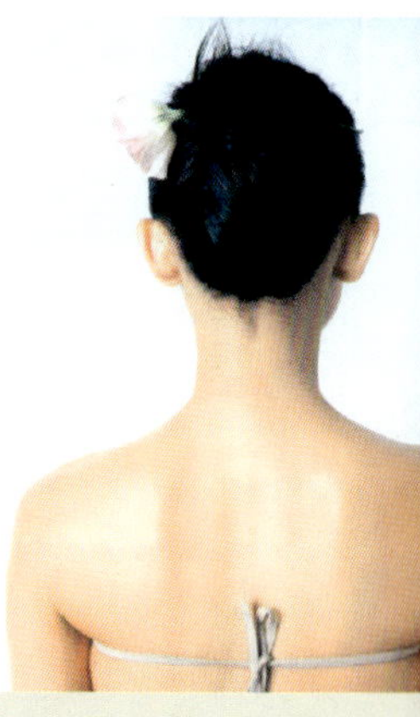

紧实俏臀浴

材料

决明子4钱、山楂5钱、荷叶2钱

做法

1. 以上药材稍微冲洗之后，加少许水。放入果汁机中打碎后，放入小织布包中，扎好袋口。
2. 入锅中加水1000毫升煮20分钟。
3. 将药汁倒入浴缸，加入热水中。
4. 身体洗净，慢慢泡入浴缸。
5. 每次泡5-10分钟后起来，稍微休息后，续泡10分钟。
6. 起身擦干，穿浴袍，喝些水。

使用时机

每日早晚泡一次。

每3个月为一疗程。

Do it!

可配合臀部的按摩拍打，由下往上、由内往外的方向，推挤拍打肥肉多处，轻揉捏脂肪丰厚处，每次10-20分钟，约是300-500下，可配合泡澡时，于澡盆中进行。平时，请有空时多做大腿往后踢的动作，躺在床上多做床上抬臀运动，每次由100下开始做起，逐渐增加次数。忌吃甜品、油腻、辛辣食物。

月经期间、怀孕、刚吃饱、饥饿、头晕时勿泡。

玫瑰瘦腿浴

材料

当归、玫瑰花3钱、何首乌5钱

做法

1. 将药材稍微冲洗之后，除玫瑰花外，其余可放入小织布包中，扎好袋口。
2. 入锅中加水1000毫升煮20分钟
3. 将药汁倒入浴缸，加入热水中
4. 身体洗净，慢慢泡入浴缸
5. 每次泡5-10分钟后起来，稍微休息后，续泡10分钟。
6. 慢慢起身擦干，穿浴袍，喝些水。

使用时机

每日早晚泡一次。

每3个月为一疗程。

Do it!

不吃甜品、油腻、辛辣食物，这些食物尤其容易囤积在大腿上，而且效率快速，更可怕的是，形成赘肉后，非常难去除，会让你的大腿变成心中的痛，尤其在大腿侧边的赘肉，通常比较硬，所谓的马鞍腿，就在这边损害您的美丽，所以请你配合泡澡时，特别努力的拍打它，不要客气！每次由5-10分钟开始，每次拍打100-300下，甚至可增加到500下。

委中穴

月经期间、怀孕、刚吃饱、饥饿、头晕时勿泡。

中医减肥出奇招
The efficiency ways of Chinese medicine to lose weight
5
第五章
『指』日可待的
瘦身宝典

【抽脂肪、做瘦身操、节食，一般情况下人们一想到减肥，都是先入为主想到西医或是一些让人筋疲力尽的“苦计”，中医术减肥在大家的心目中似乎还是相当新颖的概念。其实，中医减肥并不是新鲜事，中医师通过针灸为肥胖者减肥，或是通过推拿、耳针为肥胖者解决烦恼已有几千年的历史，如今全世界又再一次掀起了中医减肥的热潮，汉方减肥法已被越来越多爱美女士列为“绿色”减肥的首选，因为它不需要你的汗水，也不需要你大把的金钱，尝尽了减肥之苦的美媚们请加入中医术减肥的行列吧！】

人体经络穴位减肥法

The way of kneading your point

早在二千多年以前，我们祖先就已经知道人体皮肤上有着许多特殊的感觉点腧穴了。腧穴又有输穴、俞穴之称，也有叫穴位、穴道或孔道的。按照中医基础理论，人体穴位主要有三大作用，它既是经络之气输注于体表的部位，又是疾病反映于体表的部位，还是针灸、推拿、气功等疗法的施术部位。穴位具有“按之快然”“驱病迅速”的神奇功效。

经络学说是中医理论的重要组成部分，它贯穿中医学的生理、病理、诊断和治疗各方面，涉及针灸、推拿、气功诸领域。早在二千多年前，我国古代医书就有关于经络系统的详细记载，说它“内居于腑脏、外络于肢节”，把它看作运行气血的通道，维系体表之间、内脏之间以及体表与内脏之间的枢纽。人体经络是自内脏的各种脏器开始延伸至体内或体表，再扩展至手脚或颜面上，可分为12经脉、奇经8脉、及12经别。

经络是可将热能供给体内，一种循环系统通路，而经络的连接处即称经穴（穴道）。穴道可解释为循环系统中，热量流动时，容易滞流而呈现出各种现象的场所。当身体发生异常时，就是经络流动有停滞的情形产生。

脏腑与经络关系，可将之比喻为自来水与水管的关系。只要水管没有问题，自来水就可顺畅的流通。若是用手压或脚踩住水管，水就无法顺利流出，也就是表示，可以利用压或踩的力量来调节水流情形，此一踩、压的部位，即相当于穴道。相当于水管的脏腑，发生问题时，穴道便会出现疼痛、麻痹、压痛、冷虚、发热、小皮肤疹、褐斑、黑斑等色素沉淀或电气特性（因电阻所产生的变化，造成穴道以外的皮肤之电位差）的各种现象。

穴位减肥法就是利用摩擦、按压、揉捏、针灸法刺激人体的穴道，使脂肪堆积部位滞留的经络流畅，唤起身体中溶脂的穴位，来加强身体对脂肪的吸收及消解功能，以达到去脂的目的。下列的几种中医穴位法就是现在减肥界比较常用的汉方减肥法，其主要的特点就是效果显著且副作用小。爱美的你，不防一试喔！

1.耳穴疗法减肥

耳廓的神经、血管最为丰富，刺激耳甲廓、耳甲腔等处，有调整机体内分泌系统以及内脏功能的作用，尤其是刺激迷走神经可影响胰岛素值，进而抑制食欲，达到减肥的目的。现介绍几种对肥胖症行之有效的耳穴疗法。

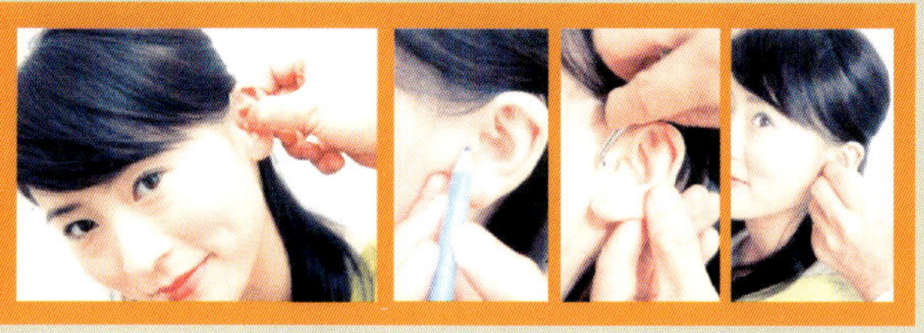

(1)耳针法

【穴 位】

神门、胃、大肠、内分泌、肺、心、三焦等。

【方 法】

每次选1—2穴，用75%酒精常规消毒，中等刺激，并用小块胶布固定。疗程：5天治疗一次，每次留针5天，5次为1个疗程。据观察1015例单纯性肥胖症，疗效显著者264例(体重减少15千克以上)，有效者370例(体重减少3千克以上)。日本庄内医院对73例肥胖症患者采用耳针治疗，有效率为83.5%。其中有的治疗后体重减轻10千克；某些并发症，如动脉硬化、高血压、糖尿病、关节炎等也随之而愈。方法是在耳部的饥点，口、食道、贲门、胃、肺等穴中选择23个针感强的穴位进行治疗，如两耳针感都强则同时取穴，其中饥点为必取之穴。针具采用图钉型皮内针。埋藏后以胶布固定，每周换1次，患者在饥饿时或想吃零食时给予刺激，以加强疗效。一般需要连续治疗10-20次。

(2)开穴埋针法

【穴 位】

神门、胃、大肠、三焦、肺、内分泌。

【功 效】

行气利水，通腑去脂。

【用 法】

选定穴位进行局部常规消毒，以小号止血钳持揿针准确地置入穴位，然后以胶布固定，留针5天后取出，再埋1个穴位。以上穴位每次1穴，6个穴位轮流埋针，6次为1疗程。

【按】

三焦为水气运行之通道，在耳廓上三焦穴处理针，通过针具的长期刺激作用，能行气利水，通腑去脂。肺能通调水道，协调气机，肺气利则水道通畅。大肠腑气亦通利，故能排除体内多余水分和痰浊。内分泌能调整人体气化功能，加速废物的排泄。本法选穴精当，配合应用能增强减肥之效果。

(3)耳穴贴压法

【主 穴】

内分泌、神门。

【配 穴】

大肠、胃、肺、口、贲门。

【功 效】

调理阴阳，去脂减肥。

【用 法】

取0.6×0.8(平方厘米)的胶布，将光滑饱满之王不留行籽贴于胶布上，用血管钳送至耳穴，贴紧后加压力，让患者感到局部有酸、麻、胀、痛或发热感。每次只贴单侧耳穴，两耳交替应用，每次主穴必贴；配穴可取12穴，每周1次，10次为1疗程。

【按】

肥胖症的病因较为复杂，除与饮食有关外，还与自身的阴阳失调有关。耳针刺激内分泌，可调整阴阳，增强气化功能，加快血液的运行，促进痰浊水湿的排除，达到去脂减肥的目的。刺激大肠、肺、贲门等穴又能通畅排便，促进代谢。针刺神门穴还可减弱胃肠蠕动，抑制过强的食欲，限制饮食的摄入。本法是通过调整阴阳气血，促进气化功能以达减肥之功效。同时由于耳穴贴压有整体调整作用，对伴有偏头痛、失眠和水肿的

(4)耳穴压豆法

【穴 位】

内分泌、丘脑、卵巢、脑点、饥点、渴点、神门、脾、胃。

【功 效】

协调阴阳气血，抑制过强食欲，去脂减肥。

【用 法】

上述穴位均取双侧，根据病情选穴。若内分泌紊乱，取内分泌、丘脑、卵巢、脑点；食欲过盛取饥点、渴点、脾、胃；嗜睡则再加丘脑、神门。常用王不留行、白芥子、急性子、绿豆等贴压。将其置于小块正方形胶布上，准确地粘于选用的耳穴表皮，给予适度的按压刺激。每周1次，5次为1个疗程，1个疗程结束后休息1周再进行第二疗程。

【按】

三焦为水气运行之通道，在耳廓上三焦穴处理针，通过针具的长期刺激作用，能行气利水，通腑去脂。肺能通调水道，协调气机，肺气利则水道通畅。大肠腑气亦通利，故能排除体内多余水分和痰浊。内分泌能调整人体气化功能，加速废物的排泄。本法选穴精当，配合应用能增强减肥之效果。

有人用王不留行压耳穴法治疗473例单纯性肥胖症，男性78例，女性395例。其中疗效显著者113例(体重下降6千克以上)，有效者168例(体重下降3千克以上)，总有效率为59.4%。方法：第一组以耳穴“脾”为主穴，以“神门”为配穴；第二组以“肺”为主穴，以“交感”为配穴；每次1组交替取之。王不留行以高压灭菌，俞穴以75%乙醇棉球消毒。

常用穴

脾、胃、肝、肺、肾、饥点、口、三焦、内分泌、大肠、肩、胸、腹、臀、腿等。

辩证取穴

①胃热湿阻型：胃、脾、肺、饥点、口、大肠。②脾虚湿阻型：脾、肺、三焦、小肠、口。③气滞血瘀型：肝、肾、肺、内分泌。④脾肾二虚型：肝、肾、脾、肺、小肠。⑤肾阴虚型：肾、肝、脾、内分泌。余下肩、胸、腹、臀、腿，根据肥胖体形不同相应选穴。

2.棉花刮痧瘦面法

中国刮痧健康法是以中医脏腑经络学说为理论指导，众采针灸、按摩、点穴、拔罐等中医非药物疗法之所长，所用工具是水牛角为材料制做的刮痧板，对人体具有活血化瘀、调整阴阳、舒筋通络、调整信息、排除毒素、自家溶血等作用，既可保健又可治疗的一种自然疗法。它是中医学的重要组成部分，其内容包括刮痧方法、经络、腧穴及临床治疗等部分。刮痧具有适应症广、疗效明显、操作方便、经济安全等优点，深受广大患者的欢迎。

传统的刮痧疗法主要适应症为痧痛，所用工具有瓷器类(碗盘勺杯之边缘)、金属类(铜银铝币及金属板)、生物类(麻毛棉线团、蚌壳)等，刮痧部位为脊背、颈部、胸腹、肘窝、腘窝。所用润滑剂为植物油类、酒类和水，刮拭皮肤至出现紫黑色瘀点为度的一种民间疗法。

1.使用正确的刮痧器具

找边缘钝而圆滑的器具，避免擦伤皮肤。例如梳子背脊、瓷汤匙、刮痧板。厚度要适中，太厚刮不到痧，太薄易伤皮肤。宽度约成人手掌宽度，易于抓握，也利于使力。

2.角度、力道、方向正确

将刮痧板与皮肤成90度角，垂直下压，单方向刮。力道由轻渐重，就不会痛，不会受伤。一次大约刮5--10公分即可，刮到颜色不再变，就可停止。

3.涂抹润滑物品

可在刮痧前涂抹润滑物品，如水、绿油精、万金油、婴儿油等等。或是使用含红花、川芎、当归等配方的刮痧膏。

步骤

1. 棉花具有柔软、安全又不伤皮肤的特性，所以棉花是刮痧最佳工具。刮痧前先将脱脂棉花剪成长宽约3厘米大小。

2. 刮痧时千万不可干推，可依身体状况选择米酒（建议使用于身体刮痧、避免脸部刮痧）或顺气化妆水，将棉花对折，以拇指、食指、中指蘸湿后微捏呈四分干。

3. 不可使用刺激性药物，以免神经内缩，失去刮痧的原意。

4. 作用的手法，切记不可用大力、不下压、直拉、摩擦、不定向搓揉，更不可逆向、逆推、逆行，应循气行的方向、神经及发流的方向，掌握45度斜下轻刮，由上方向下方、往外、往末稍方向。

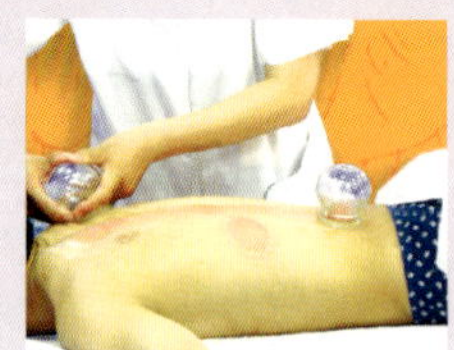

3.拔罐拔走脂肪

中国真空拔罐法是以利用机械抽气原理使罐体内形成负压，使罐体吸附选定的部位（穴位或病灶点），使皮下及浅层肌肉充血，刺激人体皮部、经筋、经络穴位以达到排除毒素、疏通经络、行气活血、扶正固本、促进新陈代谢、调动脏腑功能最终以达到净化血液的一种非药物自然物理生态疗法。

拔罐疗法又名火罐气、吸筒疗法，古称角法。在马王堆出土汉墓的帛书《五十二病方》中就有记载，晋代葛洪《肘后备急方》，唐代王焘《外台秘要》中皆提到角法。古代中医文献中亦多有论述，常在治疗疮疡脓肿时，用以吸血排脓，以后又应用于肺痨、风湿等内科疾病。清代赵学敏在《本草纲目拾遗》中提到火罐气时说：罐得火气合于内，即牢不可脱肉上起经晕，罐中有水出，风寒尽出。近年来，随着医疗实践的不断发展，不仅火罐的质料、拔罐的方法均有改进和发展，治疗范围也进一步扩大，并经常与针刺配合应用，成为针灸学中一种重要的疗法。

随着古老的拔罐医学的发展，研究人员发现，拔罐法还能针对身体较有油脂的部位例如膀子、腹部，有减脂紧肤的功效，还可经由经络穴位排走湿气，去水肿，所以拔罐器善于利用，也可说是消脂美容的极佳方法。

【禁忌症】

孕妇、妇女月经期、肌肉枯瘦之人、6岁以下儿童、70岁以上老人、精神病、水肿病、心力衰竭、活动性肺结核、急性传染病、有出血倾向的疾病以及眼、耳、乳头、前后阴、心脏搏动处、大血管通过的部位、骨骼凸凹不平的部位、毛发过多的部位等，均不宜用拔罐疗法。

【注意事项】

1. 高热、抽搐、痉挛等证，皮肤过敏或溃疡破损处，肌肉瘦削或骨骼凹突不平及毛发多的部位不宜使用，孕妇腰骶部及腹部均须慎用。

2. 使用火罐法和水罐法时，要避免烫伤病人皮肤。

3. 针罐并用时，须防止肌肉收缩，发生弯针，并避免将针撞压入深处，造成损伤，胸背部腧穴均宜慎用。

4. 起罐时手法要轻缓，以一手抵住罐边皮肤，按压一下，使气漏入，罐子即能脱下，不可硬拉或旋动。

5. 拔罐后一般局部皮肤会呈现红晕或紫绀色瘀血斑，此为正常现象，可自行消退，如局部瘀血严重者，不宜在原位再拔。由于留罐时间过长而引起的皮肤水泡，小水泡不需处理，但要防止擦破以免发生感染；大小泡可用针刺破，放出泡内液体，并涂以龙胆紫药水，覆盖消毒敷料。

步骤

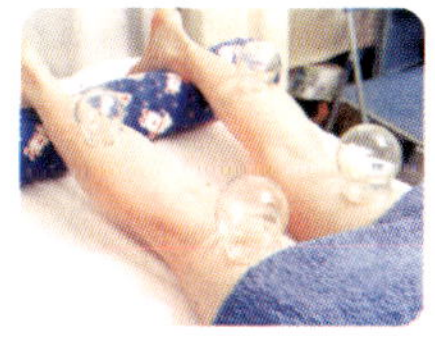

1. 首先要用消毒火罐，再用火烧热特制火罐

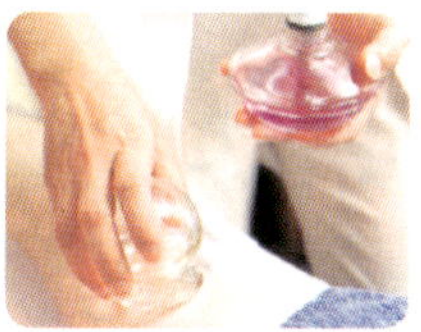

2. 吸在所想减的部位

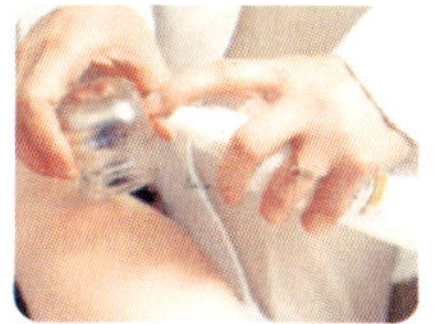

3. 最后喷上中药液

4. 针灸秀靓纤体

针灸是我国传统医学宝库中的一支奇葩，在调理肥胖中也能发挥重要的作用。其主要功能是调整人体的代谢功能和内分泌功能。现代医学认为，肥胖多数有内分泌紊乱，或是因内分泌反常而造成，针灸减肥就应用中医辩证论治的原理，从调整内分泌下手。通过针灸和中医的综合治疗，对肥胖者的神经和内分泌功能进行调整；一方面降低减肥者的食欲，避免过量进食。针灸疗法也可加速能量的新陈代谢，增加身体能量的消耗，促进身体脂肪的转化作用，同时分解身体脂肪，最终使体重持续下降。

针灸减肥对20～50岁的中青年肥胖者效果较好。因为在这个年龄阶段，人体发育比较成熟，各种功能也比较健全，通过针灸治疗，比较容易调整机体的各种代谢功能，促进脂肪分解，达到减肥降脂的效果。针刺后能够抑制胃肠的蠕动，并有抑制胃酸分泌的作用，从而减轻饥饿感，达到减肥的目的。

针灸减肥操作简便、安全可靠、患者痛苦小，因此受到很多肥胖者的欢迎。目前临床多采用耳穴埋针法和中药耳穴埋压法。在治疗过程中应注意下列几点。

(1)辩证取穴：

应根据病人的临床特点，选择最适合的穴位。如食欲亢进、易饥饿者，应首选胃经；如体态虚胖、动则气喘，可选择肺、脾二经；如脘腹满闷、肢体沉重，应选择三焦经。

(2)准确定位：

治疗找穴时，最好应用耳穴探测器或探测针在耳穴区寻找最佳敏感点，然后将针对准敏感点，准确压入，固定牢靠，轻轻揉压直到有明显的酸麻胀重的得气感为止。

(3)严格消毒：

整个操作过程应做到严格消毒，所有的针和器械均应浸泡在75%的酒精或消毒液中备用，防止发生感染或污染。

(4)定时按摩：

埋针后，应在餐前半小时、两餐之间、晨起和晚睡前都要进行按摩，每餐按摩15—30次，按摩时手法宜轻柔、用力均匀。

(5)增加运动：

治疗期间配合适当的户外活动，如散步、慢跑等会使减肥的效果更明显。

小锦囊

在治疗过程中，可能会出现厌食、口渴、大小便次数增多、疲劳等反应，这些均属于正常现象。因为通过针灸治疗，机体的内在功能不断调整，促使新陈代谢加快，能量不断消耗，而出现一些临床症状。等到机体重新建立平衡，这些症状就会消失。

针灸减肥的效果与季节、气候都有关系。通常春夏见效较快，秋冬见效较慢。这是因为春夏两季人体的新陈代谢机能旺盛，自然排泄通畅，而有利于减肥。如果在针灸中，患者出现眩晕、疼痛、恶心等症状时，属于针灸的不良反应，应立即中断治疗，防止发生危险。

头针： 外关
穴位： 一百舍四神聪
目的： 有助于全身去水，修靓线条
肚针： 气海位，关元
目的： 可去胃气，胃涨

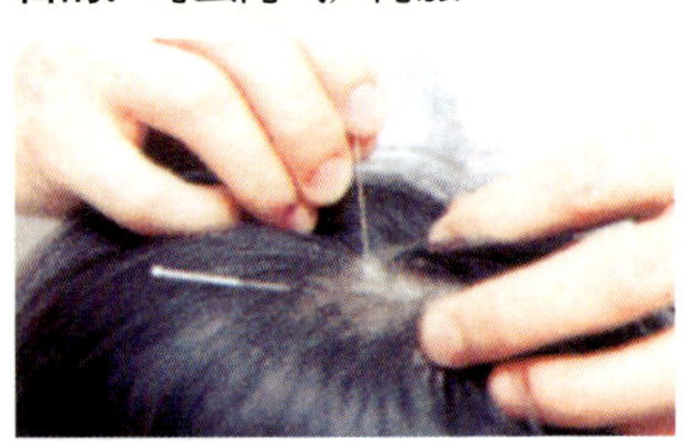

手针： 外关
目的： 可结实手背松弛赘肉
胸针： 足三里，上巨虚，大溪，血海
目的： 助去下半身水气，湿气，解决下半身肥胖

瘦身拍打法

古老的中国医学，强调人体的气化循环，注重找寻内在病因，以顺气、畅气的方法化解生理上的障碍，让被压制的现象恢复正常。

我们的身体内外自然的运作力量也就是常说的“气”，是万物的根源，也是人体的主导者，倘若能从根本行气的原理去探究，自然最科学的正本方法。气在运行中，会有速度及引力的产生，换言之，气快于光速，会穿透任何物质。气体本身默默的帮助我们，它无需增强增多，只怕在运行中受阻，失去平衡与调和。

运用人体自然的能力，以空气振荡的原理，顺着人体神经的自然走向拍打，去除气行的障碍，排除体内的压力，恢复身体正常的功能，是汉方“自然顺气疗法”中最简单易学的方法。其中瘦身拍打法已倍受现代都市女性的青睐，用双手的力量在脂肪堆积部位施以安抚、放松、舒解、释放、调理，加快坏气阻滞部位的畅通，使长期滞积的浊气循环，气血畅通了，自然可恶的脂肪便会消失无影！加上拍打法动作简单，方便易学，让你在轻松自然的拍打之间就可达到减肥塑身之功效。

1.小脸拍打法

②

①

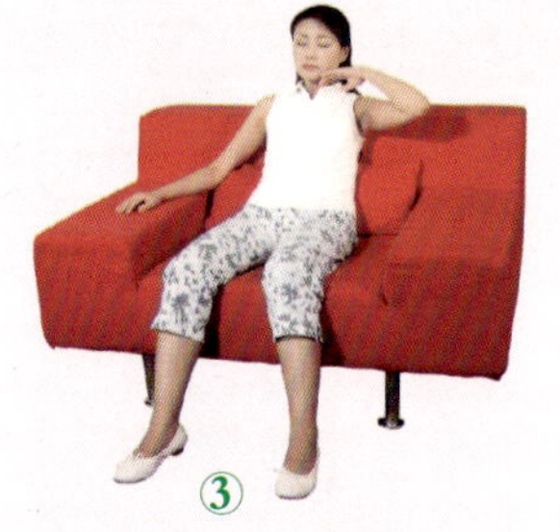

③

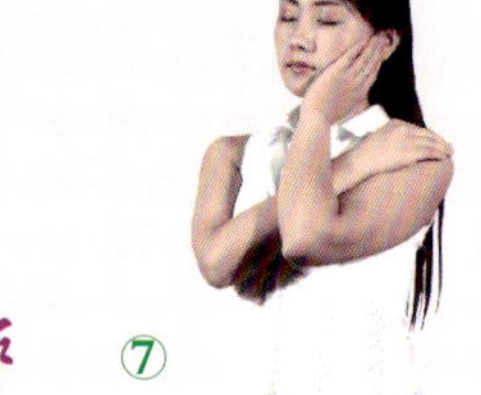

⑦

⑧

动 作

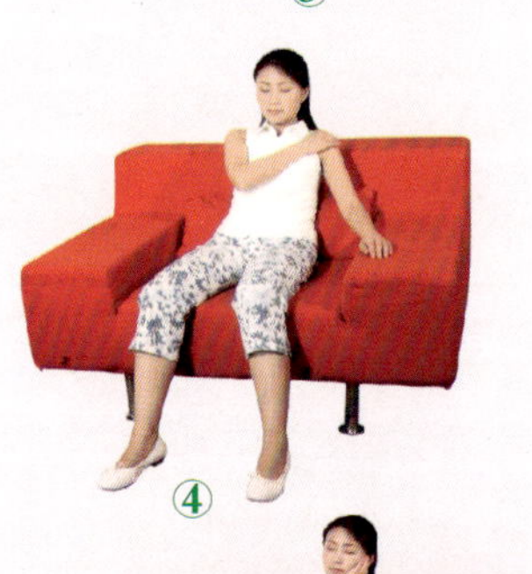

④

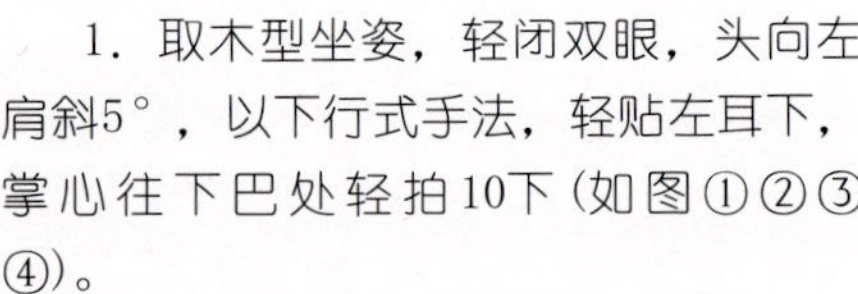

1. 取木型坐姿，轻闭双眼，头向左肩斜5°，以下行式手法，轻贴左耳下，掌心往下巴处轻拍10下（如图①②③④）。

2. 右手微拱，掌心于左肩膀关节轻拍10下（如图④）。

3. 同时进行动作1和2，拍30~50下后（如图⑤⑥），再换另一侧做同样动作，借转拍肩颈，疏导颜面浊气顺利下行（如图⑦⑧），达到瘦脸的神效。

⑤

⑥

拍窈窕送健康

☹ 动作迟钝　☹ 颈椎酸疼

☹ 牙周病、牙床萎缩　☹ 胃胀气

窈窕夫人的叮咛

1、可先行揽镜，观察颜面左右两边的大小，以调整左、右拍打次数。

2、头只能微斜5°，角度过斜反而颈椎有压力，颈部肌肉变硬。

①

②

2.塑腹拍打法

动　作

1．双腿张开，宽度略比肩宽5~10厘米，脊椎放松，不可弯腰。（如图①）

2．双手微拱，抬高手臂，一边蹲（不可弯腰）一边于大腿内侧下拍30~50下（如图②③），借着同时蹲、拍的动作，灵活的活动荐髂韧带，活化腰椎，将颅内火气顺利向下排出。

③

拍窈窕送健康

☹ 脚跟酸麻　　☹ 小腿胀酸

☹ 头重眼昏　　☹ 静脉曲张

窈窕夫人的叮咛

拍打时，双手不宜超过肚脐上方。

3.瘦腿拍打法

动作1

1. 取坐姿，右脚往右前方跨一小步。
2. 右手拇指与左手指呈V字形放置(如图①)，依肥胖程度循序小腿(如图②③)、大腿(如图④⑤)处各拍50~100下。
3. 再换另一侧做同样动作。

拍窈窕送健康
- 咽痛
- 鼻子过敏
- 小腿胀沉
- 头部沉重
- 腰椎疼痛

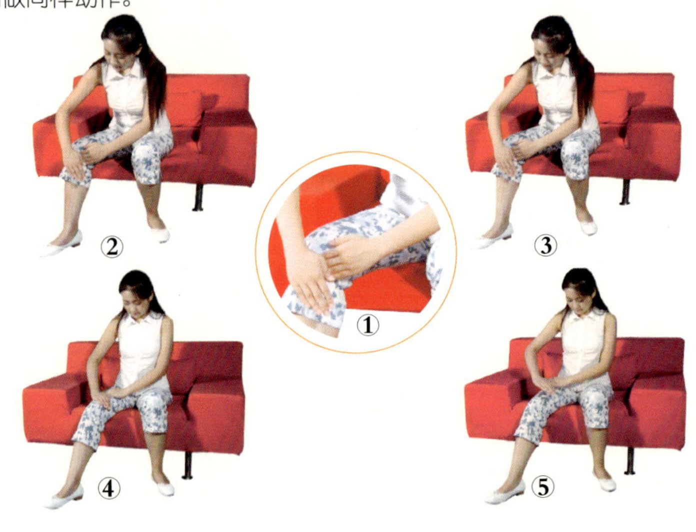

动作2

1. 双腿张开，宽度略比肩宽5~10厘米，呈V字形站姿，不可弯腰。
2. 双手微拱，指尖相对，呈V字形，中指置于耻骨上方处(如图①)，一边蹲、一边向下轻拍30~50下(如图②③)。
3. 快速活化尾椎神经，有助于下肢神经、血管的活化。

拍窈窕送健康
- 痔疮
- 子宫肌瘤
- 尾骨酸痛
- 头椎酸重

①

②

③

It is easy to do the Qigong to flatter your figure

简易气功操 轻松去脂

气功是通过调身、调心和调息原理，锻炼人的精、气、神而达到防病治病的作用。练气功不但能健体，强身，防病，治病，而且还能减肥。近年来气功减肥已应用于临床，颇受患者欢迎。练气功减肥，既不需吃药，又不要打针，简单易行，容易掌握，无副作用，无明显饥饿感。通过练气功，使注意力转移到气功要求的意守思维上，在一定程度上减轻饥饿感，同时由于练气功调整自身功能，从而起到减肥作用。这说明，气功不是靠单纯减食而减肥，而是靠功力来消耗多余能量，从而达到减肥的目的。气功减肥可用于一般肥胖者，更适合于不宜采用其他减肥法的肥胖者。

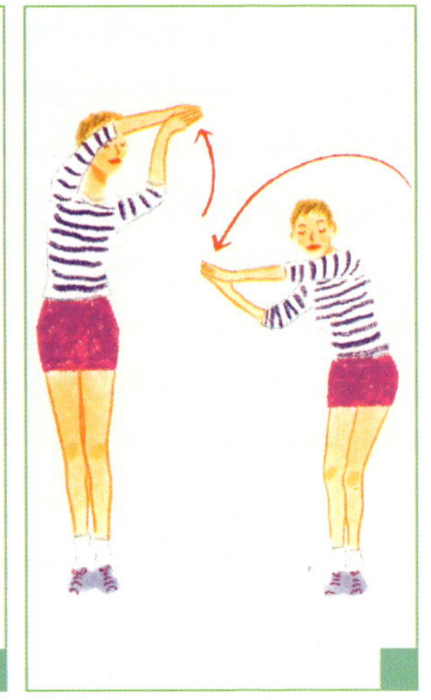

①预备势：

双腿内侧紧贴，两脚并拢，踝骨相靠。两手五指并拢，置于体侧自然下垂。收下颌，面带微笑，意想青春。

②起势：

A．上臂夹紧，屈肘合掌于胸前。

B．合掌向左侧倒、右掌在上、左掌在下、右肘抬起，上体向左侧倾、臀部右摆。

C．合掌之双手向左上方伸出，经头顶朝右侧划圆至胸前。变成左手在上、右手在下，手指向前。与双手划圆的同时，臀部由右向左摆，再由左摆回到正中位置，并微屈膝、屈髋、使身体重心有所降低。这时双手已划第一个圆。

D．接着双手向左侧下方划方圆至腹前正中位置，右手在上、左手在下，五指向前。与此同时，臀部向右摆动，再从右摆回至正中位置，继续屈膝、屈髋，使身体重心较前又有所下降，完成第二个向下划半圆。

E．两手继续向右侧下方划半圆至腿前正中位置，左手在上，右手在下，手指向前。同时，臀部又向左侧摆，再从左回摆至正中位置，身体重心第三次下降至半蹲的最低位置，完成向下划第三个半圆。

F．接上式，两手合掌向左侧上方划半圆至腹前，继续保持左手在上的姿势。同时，臀部向右摆，再从右回摆至正中位置，身体重心重新升高，完成向上划第三个半圆。

两手继续向右侧上方划半圆至胸前，右手在上，左手在下，手指向前。同时，臀部向左侧摆，再从左回摆至正中位置，身体重心继续升高成直立，完成向上划第二个半圆。回复至起势动作。至此，全部完成一遍做功动作，双手合掌从上至下共划 3 个连续的圆，臀部从右到左来回摆动 6 次。照此连续做功 4 遍。

③收势：

合掌双手划完 3 个圆回到胸前，继续向左上方划半圆，运至头顶正上方，然后垂直下落至胸前，双手自然放下。练此功注意双手划圆要准确，勿走捷径，腿、髋随手掌划圆上下屈伸、臀部移动掌握重心的高低，初练者腰部摆动要小，防止扭伤，通过不断练习，腰部力量加强后，手臂划圆可以加大，做功时身体重心前移，置于脚掌上。

第六章

塑造纤体——穴道按摩

Kneading your point to shape your charm figure

(一)掌控之间，美现娇人身材

Doing the easy way to shape your charm figure

从抹瘦脸霜到动手术，爱美女性可说是无所不用其极，只为让圆润的脸蛋变成修长的瓜子脸，的确，纤瘦的脸庞看起来确实是清秀动人多了；所以，不管你的圆周脸是天生的，还是后天肥胖造成的，我们现在就要带领你，找出自己脸部肥胖的原因，并选择合适的瘦脸方式！

1 天使的容颜
塑造瓜子脸的秘方

【标准尺寸】

瓜子脸是很多人评断美女的标准，因此如果有个肥肥的圆脸，或许就与“美女”这个称号无缘了。

薄薄的皮肤下，脸颊还是有深部脂肪的分布，而脸部的肥胖就称为buccal fat。要知道脸部是否肥胖可采捏肤试验，若拉超过0.5公分，脂肪就嫌太多了。

【赘肉成因】

脸部圆润当然和脂肪囤积过多有关，但也深受个人骨架、肌肉分布等影响。另外，从小的睡姿也可能影响脸部的大小；例如东方人习惯仰睡的话，长大后头扁扁的，脸看起来就比较大，而近年来很多婴儿出生时采取侧睡，脸拉长了就显得较削瘦。

另外，一个人的表情牵动，也会影响脸部脂肪肥厚的分布，不过，脸大脸小，多少和先天遗传父母的长相有很大的关系。

【穴道按摩】

不同于一般按摩，瘦脸的穴道按摩，除可结实肌肉，消除脂肪外，也可刺激弹性素分泌，消除脸部皱纹，减少肌肉下垂。同时这些穴道也是明目的保健穴道。

Step1 在丝竹空、赞竹、睛明穴指压，在眼睑上下，由内朝外按摩。

Step2 以四白穴为中心，由内朝外，用食指与中指做放射性的按摩。

赞竹穴：位于眉毛内端凹陷处。

丝竹空穴：靠眉外端的凹陷处。

四白穴：位置在眼正视时，在黑眼珠正中，沿眼眶骨边上下0.5公分，用手指按捏有个凹窝即为本穴。

睛明穴：位于内眼内皆及鼻根部间0.2公分。

2 展现线条优美的纤手臂

炎炎夏日中，穿着无袖的衣服既通风又凉快，可是有些人却偏偏无袖衣物无缘。为什么呢？原因无他，就是粗壮手臂羞于见人!不过没有关系，只要你有毅力，肯运动，甩掉手臂的赘肉脂肪绝对不成问题!

【标准尺寸】

要知道手臂的脂肪是否囤积过多，也可采取捏肤测试；将两臂伸直后，手拉起臂下垂的部分，若脂肪超过1-1.5公分，就嫌太胖了。

外科手术

若要抽脂，可以从腋下插管进入抽取，即可隐藏伤口。抽脂时要格外注意，以免两边不对称及凹凸不平。抽时要平整评估，若两侧粗细不一的原因与脂肪分布有关，即可在抽脂时修正。

【赘肉成因】

手臂的肥胖粗细和家族体质有很大的关系，因为脂肪细胞分布先天就决定手臂的粗细了，但若运动太少，又加上饮食过度，便会加剧肥胖程度。此外，过度运动造成肌肉厚，看起来也会让手臂粗壮，但非赘肉影响。

【穴道按摩】

削除手臂的脂肪的穴位，以尺泽穴、曲池穴和大陵穴为主。

尺泽穴：手掌向上，肘部微弯曲，肘弯内可摸到大筋(肱二头肌腱)，靠大筋的外边，肘弯的横纹上即为本穴。

大陵穴：手心侧手腕关节横纹筋凹陷部位，经常按摩兼可预防感冒。

【局部运动】

坐姿向后撑地

【目的】

消除手臂后侧赘肉

【动 作】

Step1 坐姿曲膝，双手掌置于臂部两侧后方，手肘保持微弯，抬头挺胸收小腹。

Step2 手肘加大弯曲，身体慢慢向后倾，但必须保持抬头挺胸，直到手肘呈90度为止，若无法达到，则到身体可承受的角度即可。

Step3 做12-15次，休息30秒，再开始下一回合，进行3-4回。

3 腰求曲线 瘦出玲珑身段

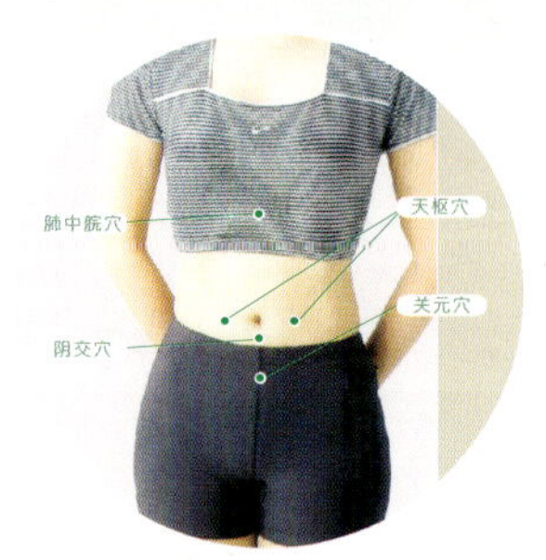

对女生来说，全身上下最容易囤积脂肪的部位之一，就是小腹和腰部了。最大的原因当然是，每次吃完东西，不是坐着上课、上班，就是窝在沙发上看电视。长久下来，人人自然都是“小腹婆”。不过，你也不用太羡慕别人的小蛮腰，只要能痛改前非，改掉坏习惯，再加上适度运动，你也可以穿上最in的超低腰露肚装，赘肉通通get out!

⊙标准尺寸

侦测全身脂肪的分布必须站着测量比较准，尤其是侦测腰腹部时，内脏外突会影响测量，更不能坐着量。

以捏肤测试时，小腹可拉起赘肉超过2公分，侧腹部抓起来1.5-2公分，若超出这个标准，就是脂肪太多了。

⊙赘肉成因

东方人的脂肪特别容易囤积在下半身，尤其是腰部到膝盖上的部位，由于此部位有深部脂肪分布，如果吃得太多又不运动，脂肪容易囤积。

腹部是由许多肌肉组成，以便支撑体内脏器，在身体后方，也就是下背部，人体的脊椎活动范围小，活动也少，因此如果腹部及下背部的肌肉松弛，不仅制造赘肉生根蔓延的机会，也很容易发生腰酸背痛不舒服的情况。

而产后女性“腹围难收”的苦恼，是因为怀孕生产过程导致原本的肌肉组织受伤，肌肉的自然约束力降低，如果又缺乏运动，脂肪囤积也是顺理成章的结果。

⊙穴道按摩

收缩腰腹部主要以阴交穴、关元穴、天枢穴和肺中脘穴为主。按压上述所有穴位为一个程序，每次按摩15-20分钟才有效。主要可促进肌肉收缩，具有收腹效果。

阴交穴：肚脐正下方1寸。

关元穴：在肚脐下方3寸。

天枢穴：肚脐两侧边往外两寸，双侧各一。

肺中脘穴：在肚脐上4寸，心窝及肚脐中间。

⊙局部运动

【目的】 消除腹部脂肪

⊙动 作

Step1 平躺在地板上，下背尽量贴近地面，双腿在脚踝处交叉，双手交叉置于胸前，下巴微收。

Step2 身体向上离地，吐气，双手打开呈“V”字形。

Step3 动作8-12次，反复3-4回。

4 香肩美背，显露迷人风采

有些人虽然体重标准，但看起来却虎背熊腰，和“纤细”一点也扯不上边。下列方式可教你从各种方面着手，慢慢减去背部多余的赘肉，炎炎夏季，你也能穿上露背装，当个自信的纤纤美少女!

⊙标准尺寸

后背的赘肉，多长在肩胛骨中间，大约以夹尺或手捏包括皮肤的厚度，可拉起2公分左右就称肥胖。

⊙赘肉成因

后背赘肉的累积除了因为遗传的关系外，由于一般运动少做到这个地方，所以也会累积赘肉。

⊙局部运动 部姿夹背

【目的】 锻练背部肌肉

⊙动作

Step1 站姿缩腹，双手自然打开，肘关节微弯。

Step2 双手后拉时，感觉背脊夹紧用力，慢慢地放开回到step1动作。

Step3 反复放缩12-15次，休息30秒再重复一次，动作3-4回。

⊙穴道按摩

减少背部赘肉的穴位，有背部的大肠俞穴、三焦俞穴和肾俞穴，压对穴位时，压下去都有酸麻感，这些部位按压时可请亲友帮忙。

如果要自己动手，天枢穴、坛中穴和关元穴，同时按压也具有缩减背部赘肉的作用。

大肠俞穴：在第四腰椎棘状突起处的下方，左右两侧各1.5寸的部位。

三焦俞：在第一腰椎棘状突起处下方左右两侧1.5寸。

肾俞穴：第二腰椎棘状突起处下方左右两侧1.5寸。

天枢穴：肚脐两侧2寸部位。

壇中穴：双乳头之间。

关元穴：肚脐下3寸。

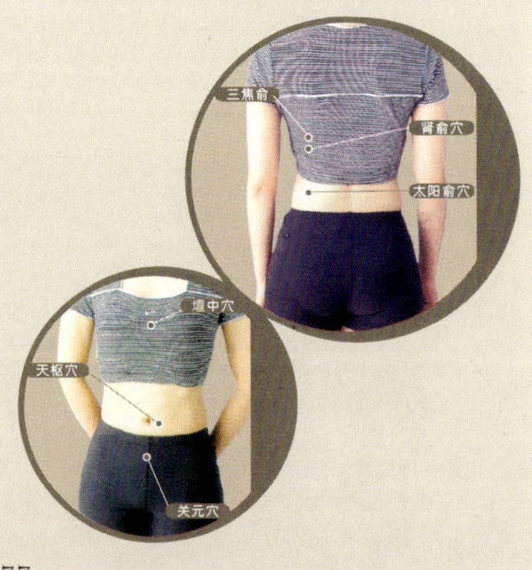

5 娇翘诱人，雕塑性感美臀

人说“前突后翘”“前突”指的是胸部，而“后翘”当然就是臀部喽!若你有个弹性佳、外形翘的臀部，保证走在街上，一定是摇曳生姿，吸引众人的目光喔!

★赘肉成因

除了先天遗传之外，现代人能坐就不站、能躺就不坐的习惯，一回到家打开电视就瘫在椅子上，活像团马铃薯般，也是恶化肥臀部，在视觉上看起来更胖。

★标准尺寸

臀部的标准尺寸比较难评估，必须看整体身体的弧度，并配合骨盆的大小，一般是从侧面检测。

或者可以这个公式来计算：

身高 × 0.54 × (0.95－1.05)

★穴道按摩

臀部的穴道按摩，除可缩减肥臀之外，还能防止臀部下垂，使臀肌肉更结实。

风市穴：大腿外侧、膝上7寸的位置。

大巨穴：肚脐两侧2寸往下再2寸。

带脉穴：在最后一段肋骨下方2寸，双侧各一。

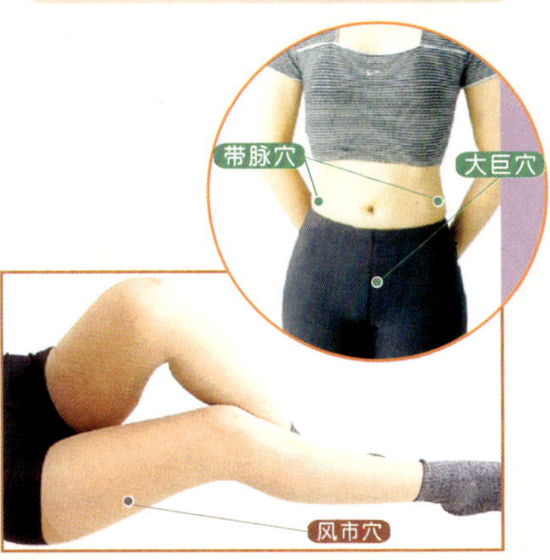

6 修长美腿，窈窕自信立现

虽然说大腿肥胖多为遗传因素，不过腿粗的人千万不要自暴自弃，否则“象腿妹”这个小名，可能真的就要跟着你一辈子喽!俗话说“天下无难事，只怕有心人”，从现在就开始和我们一起进行瘦腿运动，相信有朝一日你也能穿上迷你裙，让人臣服于你的石榴裙下喔!

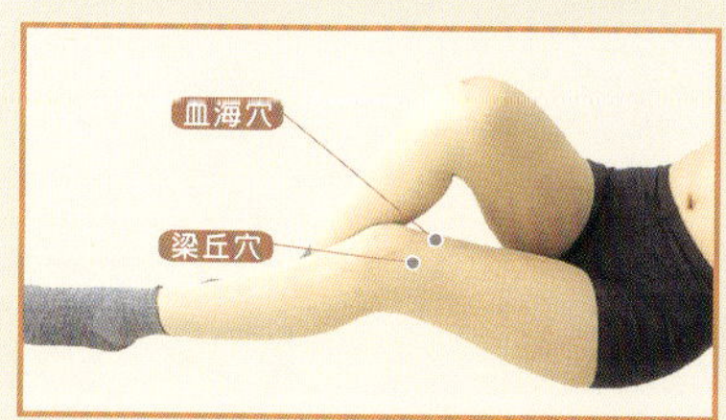

★赘肉成因

大腿肥胖的原因主要是遗传因素；如果母亲腿粗，通常女儿也很少有修长细腿。

另外，如果运动过度则可能会使腿肌肉太肥大；但若运动太少，则会造成大腿内侧赘肉下垂。

★标准尺寸

采取站姿测试，大腿外侧若可连皮肤拉起2公分，大腿内侧能拉起1-2公分，肉肉就太多了。

★穴道按摩

消除大腿赘肉的局部按摩，可按压的血海穴及梁丘穴，每次按压20分钟，每天多按压几次，效果更显著。

血海穴：大腿内侧面，由膝往上2.2寸位置。

梁丘穴：膝盖伸直时，外侧沟状边端及膝骨上2寸。

（二）芳香体验DIY，许你一个纤瘦窈窕的身体

从纯天然的中草药中提炼的含有植物精华及各种治疗效用植物精油，运用于养生、美容、解压、放松的，风行数千年流行不退，它的卓著疗效及香精气氛不仅更加深入家庭、工作场合，甚至进入了医疗院所。

从植物草药中萃取出的精油，其天然的芳香分子，会经由嗅觉作用于掌控情绪的大脑，也可透过皮肤毛囊进入毛细血管，藉着血液和淋巴循环作用于其他器官，而有排毒、排脂、紧肤的三重效果。

针对各局部肥胖部位，芳香疗法师特调精油配方，照着美人处方，你也可以DIY，在家体验芳香疗法的美妙，1个月后，局部至少可以瘦1-2寸哦!

脸部

以紧实结缔组织为主，保持脸部皮肤的弹性。

美人处方：

1. 1天2次：以按摩油在脸部由下往上按摩，避开眼部周围脆弱的肌肤。

2. 1周2次：以精油调配好的敷面膏，敷脸10分钟。

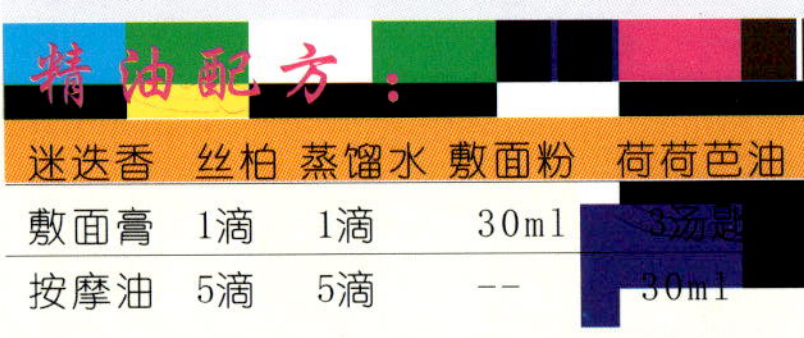

精油配方：

	迷迭香	丝柏	蒸馏水	敷面粉	荷荷芭油
敷面膏	1滴	1滴	30ml	3汤匙	
按摩油	5滴	5滴	--		30ml

腹部 背部

除了追求平坦的小腹，更须注意肥胖纹或是生产后的妊娠纹，同时，此疗程也能平衡女性荷尔蒙，以改善经前症候群的毛病。

美体处方：

1. 每天早晚2次：调配按摩油，在腹部及背部按摩，直到精油充分渗入肌肤。

2. 1周3次：泡精油浴，在38-39℃的温水中放入精油，泡澡约10-15分钟，同时深呼吸，让精油渗入皮肤，香气也能同时作用于神经系统。

精油配方：

	茴香	丝柏	柠檬	荷荷芭油
盆浴	4滴	2滴	2滴	----
按摩油	10滴	10滴	5滴	50ml

胸部

以紧实皮肤及肌肤组织为主，同时预防胸部下垂。

美人处方：

1. 1天2次：以按摩油按摩胸部。

精油配方：

	薰衣草	柠檬草	香水树	丝柏	荷荷芭油
按摩油	6滴	6滴	6滴	8滴	50ml

小腿 大腿

将减肥雕塑曲线的重点放在疏通淋巴液，消除水肿，同时预防腿部的静脉曲张。

美人处方：

1. 1日1次：由小腿往大腿方向，以冷水冲或猪宗毛刷腿部。

2. 1周2次：泡精油浴，并拍打小腿至大腿处。

3. 1周1次：高岭土粉加入精油，作成敷泥。敷在橘皮组织的部位，效果更佳。

4. 每日早晚各1次：调配按摩油，由小腿往大腿方向按摩，刺激淋巴循环，促进新陈代谢，同时可纾解压力与紧张。

精油配方：

	杜松子	丝柏	柠檬	蒸馏水	荷荷芭油	高岭土粉
盆浴	2滴	4滴	2滴	--	--	--
敷泥	1滴	1滴	1滴	15ml	--	2汤匙
按摩油	8熵	5滴	12熵	--	50ml	--

7
第七章
The beauty herbalist doctor's answering:
纤体信箱
美人中医

我的周围有很多人都在热心地减肥，其实有些人看上去并不胖，我想问一下：怎样才算肥胖？

想知道自己体型是否属于肥胖型，首先要明白“身体质量指数”的计算方法：

身体质量指数(BMI) = 体重(公斤) / 身高(米)的平方

根据世界卫生组织所订的标准，成人的身体质量指数介乎25至29.9者为过重；介乎30~39.9者为肥胖；若达到40或以上者便属于非常肥胖。亦可参考成年人标准体重表，若体重超过标准的20%以内者为过重，超过20%以上者为肥胖。

现在市场上很流行卖减肥茶，那么减肥茶到底去不去脂？

时下最热门的是减肥茶，因为够实惠，但大部分减肥茶加入安非他命、芬他命等禁药，服用后虽可抑制食欲或减磅，但经常引致心跳、失眠等症状，且减肥茶含泻药成分，它只会刺激大肠，助排便，是脱水减磅原理，但并没减少热量和脂肪。

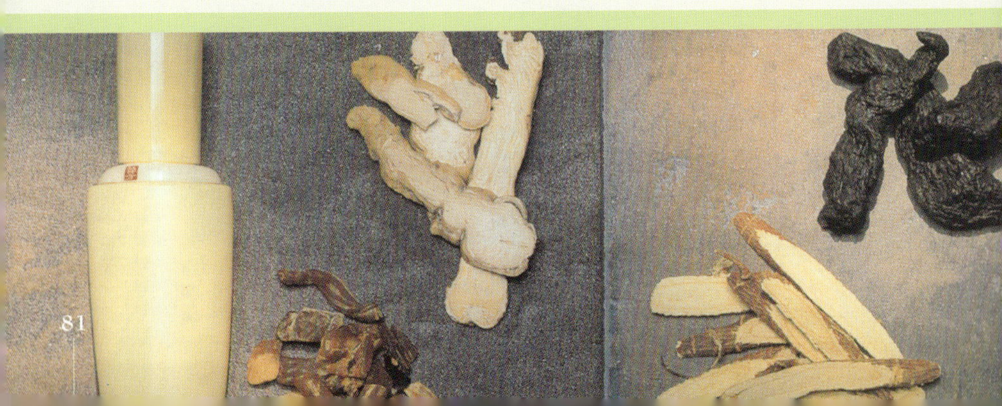

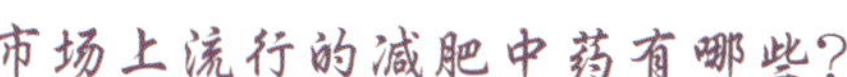

市场上流行的减肥中药有哪些?

美人中医

中医对肥胖的认识早在古医籍中就有记载，称肥胖者为“肉人”、“肥人”。认为发生原因与“湿、痰、虚”有关，故肥人多湿、多痰、多气虚。其治法有辨证施治、单方、验方、气功、针灸、耳针、药膳等，这些方法对肥胖的治疗有良好的效果。现在常用的减肥中药（中成药）有：

防风通圣丸

用于腹部皮下脂肪充盈，即以脐部为中心的膨满型（腹型）肥胖。该方由麻黄、防风、荆芥、薄荷、连翘、桔梗、川芎、当归、白术、黑山栀、人黄、芒硝、石膏、黄芩、滑石、甘草、白芍等药物组成，适用于经常便秘并且有高血压倾向的人。在体内有食毒（即广义的肠源性中毒，由于肠内停滞的粪便引起了各种疾病，难以治愈）和水毒（体液分布不均匀时发生的状态，也即体内发生水代谢异常的状态，可引起病理的渗出液及异常分泌等，也可出现发汗排尿的异常）等瘀滞状态。防风通圣丸可以把这些异常情况通过发汗、利尿、泻下作用进行排泄、发散，同时又能解毒、治疗便秘；麻黄、防风、荆芥、薄荷具有从体表发汗的作用；滑石、白术因利尿作用而治水毒；黄芩、石膏、黑山栀子消炎；桔梗、连翘消火解毒；当归、芍药、川芎可促进血液循环。该方有抑制代谢作用，故用于治肥胖症。此药对实证肥胖、中风型体质者常用。日本人对此方多加推崇。

消胖美

该药由柴胡等9味中西药物组成。用于治疗单纯性肥胖症。有抑制食欲、增强体质、疏肝解郁、健脾益气、祛除浊积、利水渗湿、增强新陈代谢、轻度减少小葡萄糖的吸收功能等作用。

轻身降脂乐

由首乌、夏枯草、冬瓜皮、陈皮等16味中药组成。通过动物实验证明有减肥作用。临床观察231例，有效率为94.81%。能降低体重、脂肪百分率、胆固醇、甘油三酯等。该药具有养阴清热、滋补肝脏、清热利湿、润肠通便、益气健脾、利水渗湿、活血化瘀、化痰散结、抑制食欲、促进脂肪代谢、降低血脂及改善心悸气短等作用。

轻身一号

用于治疗单纯性肥胖症。该药由黄芪、防己、白术、川芎、何首乌各15克，泽泻、生山楂、丹参、茵陈、水牛角各30克，仙灵脾10克，生大黄9克组成。以上为一剂量，水煎成100毫升，每次口服50毫升，每日2次，超重25%以上者可增至每日3次即150毫升。本方具有益气健脾、温肾肋阳、活血化瘀、利水消肿之效。主治疲倦乏力、胸闷气促、腹胀肢沉、腰背疼痛、便溏浮肿、月经不调、皮肤呈紫纹、舌胖质淡、苔白薄或白腻、脉细弱等症状的肥胖者。本方可能作用于代谢的多个环节，起调整作用，使肥胖症患者已紊乱的物质代谢、能量代谢和水盐代谢渐趋平衡。

降脂一号胶囊

用于治疗单纯性肥胖症。该药由党参、黄芪、云苓、泽泻、桂枝、决明子、山楂、半夏、防己、陈皮、杏仁、大腹皮、枳实、大黄等28味中药组成。

体可轻

由法半夏、陈皮、云茯苓、炒苍术、炒米仁、大腹皮等药组成。上药等分制成浓缩小丸，每日3次，每次45粒。

减肥合剂

用于治疗单纯性肥胖症。该合剂由四逆散18克、苓皮9克、桐皮15克、化皮45克、泽泻9克、油麻槁60克，煎成500毫升，每次30～60毫升，每日2次，口服。该药有疏肝、利水、祛湿作用。

减肥轻身乐

用于治疗单纯性肥胖症。由漏芦、决明子、泽泻、荷叶、防己、生地、红参、黑豆、水牛角、黄芪、蜈蚣等组成。本方有益气养阴、清利湿热等作用。

电视、广告中常常有许多减肥药的广告，我想问一下：女性常用的减肥西药有哪些？它有什么副作用？

美人中医 近年来市场上的减肥药的确如雨后春笋般的层出不穷，基主要的用于治疗肥胖及正在研究的药物有：

1.西布曲明（又名曲美、澳曲轻、可秀、亭立、诺美亭等，其中诺美亭为德国产品）是2000年国家药监局批准的第一个减肥处方药，该药通过抑制去甲肾上腺素、5—羟色胺的再摄取而增强饱食感，能在不影响人体吸取正常必需营养物质的情况下减轻人的饥饿感，并使体内脂肪自然消耗而达到减肥目的。该药仍具中枢作用，且呈剂量依赖性。

2.奥利斯特（又名奥利司他，商品名塞尼可）是国内2001年上市的新型非中枢神经减肥药物，可选择性作用于胃肠脂肪酶，使其失去活性而不能将食物中的脂肪（主要是甘油三酯）水解为可吸收的游离脂肪酸和单酰基甘油，未消化的甘油三酯不能被身体吸收，从而减少热量摄入，控制体重。

3.左旋肉碱（又名康利亭）是广泛存在于人体内的一种氨基酸，能把长链脂肪运入线粒体内进行氧化分解，体内若缺乏左旋肉碱，可影响脂肪代谢而导致肥胖，因此，通过补充左旋肉碱以开发利用脂肪，使其转化为能量消耗掉，以达减肥目的。

4.瘦素（Leptin）是肥胖基因表达的一种多肽类激素，通过作用于食欲中枢而抑制食欲，提高体内能量代谢率而达减肥目的，被称为神奇的减肥物质，成为近年来肥胖和糖尿病研究领域的热点，目前正处于研究阶段。

追求美丽，减肥已经成为时尚。但只有男性脂肪超过体重25%、女性脂肪超过体重30%的时候才称为肥胖。专家建议，公众应先通过节制饮食、加强运动来减肥，如果坚持3个月体重只减轻了不到10%，再考虑药物减肥。

目前占据减肥药市场的主要是西布曲明和奥利司他两种减肥西药，它们都会引起不同程度的不良反应。西布曲明可能导致血压上升、脉搏明显加快以及心电图异常等。值得注意的是，西布曲明如果与西柚汁同时服用，可能发生相互反应，十分危险。减肥药多属处方药，能否服用应由医生决定，不要擅自服用；不要长期使用，以免成瘾；两种减肥药也不能同时使用。奥利司他可能引起胃肠道反应，如油性斑点、肠胃排气增多、便急、油状便、脂肪泻、排便次数增多、大便失禁等。此外，奥利司他还会影响人体对脂溶性维生素的吸收，使用时应注意补充维生素A、D、K和β胡萝卜素。

故此，服用减肥药前应先征询医生的意见，并作有关的体格检查，不应单凭身边朋友同事的介绍，同时要明白，减肥药只是肥胖治疗中的一部分。

现在古老的中医术又再一次受到减肥一族的青睐，那么刮痧对瘦身的卓著效果体现在哪里？

美人中医

的确，中医术现在已被广泛地用于美体及美容，其主要的特点是疗效显著、副作用小，其中刮痧对于人体，主要可以起到下面三方面的作用：

①促进代谢，排出毒素：人体每天都在不停地进行着新陈代谢的活动，代谢过程中产生的废物要及时排泄出去。刮痧能够及时地将体内代谢的“垃圾”刮拭到体表，沉积到皮下的毛孔，使体内的血流畅通，恢复自然的代谢活力。

②舒筋通络：现在有越来越多的人受到颈椎病、肩周炎、腰背痛的因扰。这是因为人体的“软组织”（关节囊、韧带、筋膜）受损伤时，肌肉会处于紧张、收缩甚至痉挛状态，出现疼痛的症状，若不及时治疗，就形成不同程度的粘黏、纤维化或瘢痕化，从而加重病情。刮痧能够舒筋通络、消除疼痛病灶、解除肌肉紧张，在明显减轻疼痛症状的同时，也有利于病灶的恢复。

③调整阴阳：“阴平阳秘，精神乃治”。中医十分强调机体阴阳关系的平衡。刮痧对人体功能有双向调节作用，可以改善和调整脏腑功能，使其恢复平衡。

朋友们都说减肥也有最佳“福利期”，那么何时瘦身最有效呢？

减肥不只是要少吃、多动，有时候，掌握最佳时机，更是迈向窈窕的第一步。只要你能善用以下3大瘦身良机，相信你在瘦身的路上会更顺利喔！

Every Day

下午3点前摄取7成热量

在正常的情况下，一个人每天的新陈代谢率都会有微小的起伏；从早上醒来到中午那段时间，新陈代谢率就像上紧的发条，高效率地消耗吃下肚的食物热量；而到晚上，发条就渐渐松弛，加上夜间肠胃消化功能活跃，吸收能力强，因此，白天没有消耗掉的热量，就会很老实地以“脂肪”的形式囤积下来。

所以，省略早餐不吃，午餐随便吃吃，然后晚餐大吃一顿以犒赏累了一天的自己，是最易增肥的生活形态。若你在用餐后，还散个步倒也罢了，但要是你四肢不动，任自己瘫在沙发上，保证迟早会发胖；倘若你又习惯吃个宵夜才睡觉，那么，想要维持身材可真是难上加难。

理论上，刚用过餐时，大脑饱食中枢会让新代谢率稍微提高。所以，想要吃不胖，一个重要的用餐技巧就是“少量多餐”，要是你做不到，那么至少要做到睡前3小时不进食。建议你将一天要吃的餐点分割为早餐、午餐、晚餐，并在每天下午3点以前，摄取一天所需热量的7成，然后以蔬菜、沙拉、或水果为晚餐。相信这种分割餐点的方式，会带来意想不到的减重效果。

Every Month

女生独享，“大姨妈”也成减重帮手

减重的过程中，体重并不是呈斜线往下掉，而是呈阶梯状或波浪形的增减变化。以女性来说，因为受荷尔蒙周期循环的影响，所以大约在月经来临前1个星期，到月经来潮时，身体会略为浮肿，体重也有上升的趋势。依照国内女性的正常体重标准，重个0.5-1公斤都算是正常现象，但要是胖到2-3公斤以上，就要注意!

来自妈妈、阿姨、祖母的长辈经验告诉我们，喝红豆汤或吃麻油腰花可以促进子宫收缩，生理期间减肥可有事倍功半之效并帮助经血排出。

许多人误以为，生理期间是节食的豁免期，因此放心大胆吃平常禁口的甜食。如果你也这么想，那恐怕就得失望啦!因为甜食热量颇高，而且它们对体重的威胁可是不分时间的，只要你吃进嘴里，它们就化作结结实实的热量，丝毫不少。

然而，减重的最高指导原则是藉着饮食控制以减少热量的摄取、增加运动量来加强热量的消耗，因此，若你在减肥期间遇到“大姨妈”，还是可以吃红豆汤或绿豆汤，因为红豆和绿豆是天然的利尿剂，有助于消除生理期间的肿胀不适感，但要记住：不要加糖，或者改用代糖，以避免额外的热量。

相对地，女性在两次生理期中间的排卵期，往往会觉得身体轻松，精神状态最佳，因此，在这段时间开始进行减重计划，就可以很轻易获得体重如坐滑梯下降般的成就感，瘦身效果明显易见。

Every Year

夏季瘦身 天助我也

随着季节变化及冷热温差，人体肾上腺素分泌及新陈代谢率也会跟着改变。人类虽然不需要冬眠，但却会倾向储存热量好过冬，因而自然而然地在秋冬胃口大开，吸收能力也随之增强。因此，一个冬天下来，脂肪就堆积在下半身，变成游泳圈或小腹婆；这就是俗称的季节性肥胖。

就季节来说，你可以顺势趁着夏天实施减肥计划。一方面是夏季的轻衫罗衣藏不住身材，因此瘦身的动机最强，也最容易成功；另一方面则是老天爷帮忙，使新陈代谢率在夏季时上升，大量发汗，流失水分，就算不刻意减肥，一般人到夏天时，体重也会比冬天轻一点。

第八章 塑身课外堂

The additional classes of the shaping your body

中国瘦身茶小百科

除了“医食同源”的主张外，“医茶同源”也是中国传统的健康饮茶观。和食物一样，茶叶也有调整体质、恢复健康的功效，除了一般人常DIY的枸杞茶、红枣之外，就连目前十分普遍的绿茶、红茶，也会因长久饮用而对健康、美容产生莫大的帮助。中国的茶文化源远流长，这里我们有过整理，给大家介绍八种中国特有的名茶，希望能帮助你更方便地了解中国茶，将中国茶特有的茗香及神奇的保健功效融入你的生活，让你成为更漂亮、更窈窕、更有活力的健康美人！

普洱茶

黑茶/后发酵茶/泡茶水温100℃

带熟果香的香味，滋味圆柔醇厚

俗称“膨风茶”，全世界仅台湾产制，最高级的具有明显的蜂蜜味，英国品茗家赞此茶为“东方美人”或“香槟乌龙”。茶叶幼嫩，以夏季制造、具有多量白毫芽尖者为上品。茶的形状呈现花朵般带有红、黄、白、黑、绿五种颜色。以鲜竹北埔、峨嵋、苗栗老田与文山茶区为主要产地。

- 减肥功效★★★
- 顺口指数★★★★★
- 味道：淡淡果香，温喉润口

白毫乌龙

青茶/发酵度60%/泡茶水温100℃

能清脂，是“茶叶通”眼中的瘦身圣品！

白毫乌龙是黑茶中最具代表性的茶种。白毫乌龙分为茶叶及茶砖等种类，甚至有保存50年等级的珍品。如果你不喜欢白毫乌龙特有的霉味，可以不喝前三泡，从第四泡喝起。由于它的味道很浓，即使冲泡到第三或第四泡，味道也不会变淡。

- 减肥功效★★★★★
- 顺口指数★★★
- 味道 芳香怡人，清爽顺口

青茶/发酵度50%/泡茶水温100℃

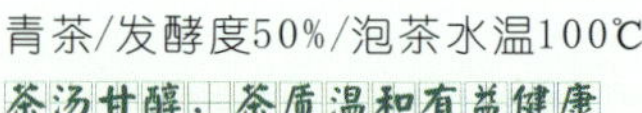

高山茶，主要产于福建安溪、永春等地。其特色为茶汤甘醇、微甜香，有焦糖香，适合男女老少饮用。多喝乌龙茶有益身体健康、提神醒脑、消除疲劳、增强耐力。

- 减肥功效★★★
- 顺口指数★★★★
- 味道：含茉莉香及桂花香

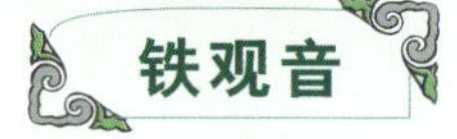

青茶/发酵度40%/泡茶水温100℃

气味甘甜，味道顺口，富含矿物质

铁观音在茶叶中也颇受欢迎，它最大的特点就是当你含在口中，就可以感到烘焙的茶香在口中扩散开来。属于40%发酵的半发酵茶，富含矿物质及其他养分，有净化身体的功能。

- 减肥功效★★★
- 顺口指数★★★★
- 味道：清雅的烘焙茶香

绿茶/未发酵茶/泡茶水温100℃

美容、抗老化、保持好身材的美丽小精灵

绿茶具有多种功效，舒畅的苦涩味不仅可以散去身体多余的热气，还有提神醒脑、消炎止痛的作用。早上喝一杯、消炎止痛的作用。早晚喝一杯，绿茶中的咖啡因可以刺激神经，促进大脑和内脏活动。经常头痛、眼睛充血、口干舌燥或是焦躁不安的美人儿，建议你试着饮用。

- 减肥功效★★★★
- 顺口指数 ★★★
- 味道：含青涩的草苗味，喜好因人而异

药草茶/发酵度30%/泡茶水温100℃

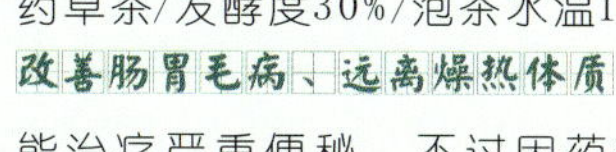

能治疗严重便秘，不过因药效太强，喝太多的话会引起腹部疼痛，甚至使体质太虚寒而造成腹泻，这一点必须特别小心。注意!孕妇不宜饮用番泻茶。

- 减肥功效★★★
- 顺口指数 ★★
- 味道：略带药味、较不具茶香

药草茶/发酵度70%/泡茶水温100℃

不含咖啡因的减肥圣品

此种茶有一种独特的苦味，能够改善肥胖、预防高血压及动脉硬化。不像红茶、咖啡、乌龙茶等含有咖啡因，即使晚上喝也无妨。此外，它还可以促进皮肤的新陈代谢，让美人儿的皮肤水水嫩嫩。

- 减肥功效★★★★★
- 顺口指数 ★★
- 味道：带苦味而不涩，喝顺口会爱上它

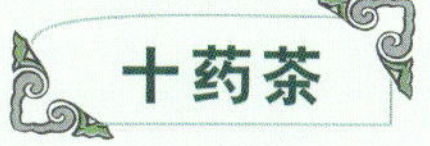

药草茶/发酵度70%/泡茶水温100℃

天然疗效对身体绝对零负担

蕺草的叶子，因其有十种医疗效果，而被称做十药草，除了可以抗菌、消炎散热、解毒利尿外，还能清除宿便，对于因便秘产生的面疱、粉刺等皮肤问题也一并解决。洗澡时不妨将茶叶加入浴缸，美肤效果也很不错喔!

- 减肥功效★★★★
- 顺口指数 ★★★
- 味道：大自然的迷人原野香

The list of the Chinese ordinary medicines and their characters

常用中药材及药性大揭秘

在前面的单元中，我们已经提供了许多让你更健康、更美丽的含有中药的膳饮、佳肴，现在你是不是还想运用自己的创意，制作出更多可口的既进补又让你成为魔力四射的“窈窕少女”的私房菜呢？以下列出的药材，不妨参考一下，在自己的减肥计划中，制作出另一番风格的美人美食！

川芎 川芎的根茎，具有镇静、调经、抗菌作用。

山药 薯蓣的根茎，具有滋养、化痰、促进消化等作用。

牛蒡 菊科牛蒡的根，具有解热、解毒作用。

天门冬 百合科草杉蔓的根，有滋养、止咳、化痰的作用。

丹参 丹参的根，具有调经、镇痛、消肿、止腹泻等作用。

乌梅 蔷薇科梅子尚未成熟的果实，具有止咳、抗菌、止慢性腹泻、驱虫等作用。

白芷 芹科铠草的根，有排脓止痛作用。

白术 菊科白术的根茎，具有助消化、利尿、镇静、止腹泻等作用。

生地黄 地黄的根，具有解热、止血、利尿作用。

甘草 豆科甘草的根，具有止咳、镇痛、抗炎、抑制胃酸分泌的作用。

炒甘草 甘草放进蜂蜜水里搅拌后，炒至深黄色，具有滋养、强身作用。

肉桂 樟科肉桂的树皮、嫩枝、果实，有滋养、强身作用。孕妇禁服。

决明子 豆科决明的种子，具有消炎、通便、降血压、利尿等作用。

芍药 毛茛科西伯利亚芍药的根。

白芍 去除芍药根的外皮，干燥处理后的药材，具有镇痛、止痉挛、解热等作用。

红芍 保留芍药根外皮的药材，具有镇静、镇痛、止痉挛、抗炎等作用。

当归 芹科当归的根，有调经、镇静、镇痛、消炎作用。

红枣 同大枣

红花 菊科的红花，具有促进血液循环、通经、镇痛、化痰等作用。孕妇和经血过多的人禁食。

杜仲 杜仲科杜仲的科皮，有强化筋骨、安胎、降血压等作用。

连翘 艾草科连翘的果实，有消肿、抗菌、利尿作用。

麦门冬 百合科蛇须草的块根，有解热、止咳化痰、利尿、强身、抗菌、通便作用。

苍耳子 菊科大稻的果实，对于治疗鼻炎、鼻蓄脓、风湿性关节痛有效。

灵芝 菌类，胡孙眼，俗称猴头。具有强身、镇静、止咳、化痰的作用。

阿胶 用驴皮熬煮，并加工制成的药材，具有止血、滋养、强身等作用。

陈皮 橘科大朱橘的果皮，越老的皮越有效，具有增进食欲、止咳化痰、利尿、解毒等作用。

板蓝根 油菜科植物、胡荪科植物的根，有解热解毒作用。

枇杷叶 蔷薇科枇杷的叶，具有化痰、健胃、制菌作用。

郁金 姜科郁金类的粗根，具有利胆、镇痛、止血作用。

胡桃仁 核桃科西洋核桃中可食用成分，具有强身、抗气喘作用。

益母草 紫苏科目弹草的地上部分，有调经、利尿、消肿作用。

柴胡 芹科三岛柴胡的根，具有解热、镇静、镇痛、止咳等作用。

桑椹 桑科唐桑的复合果，具有滋养、通便作用。

桂枝 樟科桂树的嫩枝（或嫩枝的树皮），具有解热、镇痛、健胃、抗菌作用。

党参 桔梗科党参的根，有强身、滋养、降血压作用。

野菊花 菊科的头花，有解热、消脓作用。

黄莲 毛茛科黄莲的根茎，具有消炎、抗菌、利胆作用。

黄芩 紫苏科黄金花，取其去除外皮的根，具有解热、利尿、抗菌、解毒、抗过敏作用。

菊花 菊科菊花的头状花序，具有镇痛、消炎、抗菌作用。

银花 同金银花。

薄荷 紫苏科薄荷的叶茎，有消炎、镇痛作用。

霍香 紫苏科香馥草或叶子、或是河边草长在地上的部分，具有增进食欲，消暑解热的效用。

■ 策　　划：東映文化 EAST DRAGON
■ 设计制作：
■ 中英文编辑：卓文工作室
■ 垂询电话：0755-26740758
■ 网　　址：WWW.EASTDCD.COM（东映文化）
■ 电子邮箱：SZdongying@21cn.net
■ 鸣　　谢：喜芙浓健康纤美馆
电话：0755-82393110
■ 统一定价：¥19.8